GARGANTUA
RABELAIS

Adapté au français moderne
par Maurice Rat
Illustré par Gustave Doré

bibliothèque marabout

PREFACE

Si la Renaissance se trouve être une restauration de la Joie, Rabelais, qui répond par son rire sonore et puissant au rire en pleurs de Villon et au sourire de Marot, l'éditeur de Villon, est le premier des Renaissants.

Celui qui a écrit que « rire est le propre de l'homme » et qui a justifié d'avance le joli mot de Ninon de Lenclos : « La joie de l'esprit en marque la force », est né, dans les toutes dernières années du XVe siècle, en 1494 probablement, à la Devinière, près de Chinon, dans cette royale province de Touraine, qui est le cœur même de la vieille France, de civilisation très ancienne, et où la gaîté régnante est faite de bon sens railleur, d'équilibre et de mesure. Il fut novice au couvent des Cordeliers de la Baumette, près d'Angers, novice encore au monastère cordelier de Fontenay-le-Comte (vers 1520), d'où, suspect d'hérésie, parce que trop amateur de livres grecs, il cherche et trouve un refuge auprès de l'évêque de Maillezais, Geoffroy d'Estissac. Un indult du Pape l'attache, vers 1524, à l'ordre de saint Benoît en l'abbaye de Maillezais. Le couvent finissant par lui peser, il s'en évade, court quelques mois on ne sait où, est recueilli par Estissac à l'abbaye bénédictine de Ligugé, près de Poitiers.

Il a alors trente ans, il est grand, beau, bien fait, avec un ample front et des yeux magnifiques. Sa conversation est pleine de feu, aussi brillante que savante, avec un tour d'imagination très plaisant. Une mémoire, d'une érudition étonnante : il a tout lu, des Latins et des Grecs, comme des chroniqueurs et des conteurs du Moyen Age, et a tout retenu. Son évêque raffole de lui. Il correspond avec le grand Jean Bouchet, dispute avec l'abbé Ardillon (de Fontaine-le-Comte, près Ligugé), séjourne à Poitiers, la plus savante ville de France après Lyon... Mais il n'est si bons amis ni si bonne ville qu'on ne quitte, lorsqu'on a l'humeur voyageuse et l'appétit de connaître. De 1528 à 1530, on trouve Rabelais à Bordeaux, à Orléans, à Paris ; il étudie pendant deux ans la médecine à Montpellier (de 1530 à 1532), passe à Lyon où il est nommé médecin de l'Hôtel-Dieu (novembre 1532), à raison de 40 livres par an. Il profite de la connaissance qu'il a faite du cardinal du Bellay pour le suivre en son ambassade à Rome (1534-1536), où il s'adonne à la botanique et s'intéresse aux « antiquités », et profite de son séjour en la Ville Eternelle pour plaire au pape Paul III et se faire relever de ses vœux monastiques.

De retour en France, et comme sa place est prise à l'Hôtel-Dieu de Lyon, il accepte un canonicat dans une abbaye de Du Bellay, à Saint-Maur-des-Fossés, revient ensuite à la médecine, qu'il exerce à Narbonne, à Lyon, se fait recevoir docteur à Montpellier (1537), séjourne de nouveau en Italie avec Guillaume du Bellay, gouverneur du Piémont (40-43), puis, revenu à Paris, est nommé maître des requêtes du roi. En 1546, ayant des difficultés avec la Sorbonne, il fuit à Metz, accompagne ensuite, et encore à Rome, le cardinal du Bellay, obtient à son retour deux cures : celle de Saint-Christophe-de-Jambet (dans la Sarthe), celle de Meudon, qu'il conserve deux ans et résigne en 1553. La même année, il meurt à Paris.

Ce fut un mauvais moine sans doute et un curé très indifférent, mais un grand savant, un assez bon médecin, un homme magnanime et libéral, et fort habile à se créer, constamment, de puissants protecteurs contre la persécution toujours possible et parfois menaçante.

Humaniste ardent, et qui avait édité, entre autres, les Aphorismes d'Hippocrate, dans les moments de loisir de sa vie très active, il composa, pour se récréer, une série de contes facétieux, qui contiennent beaucoup de savoir et de sagesse, et qui s'appellent le Gargantua et le Pantagruel : cinq volumes, au total, ou quatre, le cinquième se trouvant être d'une authenticité fort douteuse.

Ce sont, dans l'ordre chronologique de parution, qui n'est pas conforme à l'ordre du récit :

1° Pantagruel, *ou très exactement* Les horribles et épouvantables faits et prouesses du très renommé Pantagruel, roi des Dipsodes, fils du grand géant Gargantua *(1532) ;*

2° Gargantua, *ou, pour citer le titre entier,* La vie inestimable du grand Gargantua, père de Pantagruel *(1534) ;*

3° Le Tiers livre *(1546) ;*

4° Le Quart livre *(1552) ;*

5° Le Cinquième livre *(1564), dont la meilleure partie,* L'Ile Sonnante, *avait paru dès 1562.*

Sur une trame flottante, la fantaisie énorme du conteur jette les épisodes les plus divers :

Gargantua *conte la naissance du géant Gargantua, fils du géant Grandgousier, enfant doué d'un appétit et d'une force extraordinaires ; ses études sous des précepteurs stupides, Tubal Holopherne et Jobelin Bridé, puis sous Ponocrates, qui mêle les exercices du corps à ceux de l'esprit ; son retour au pays paternel, envahi par les Dipsodes ; et comment, avec l'aide d'un vaillant moine, frère Jean des Entonmeures, il défait l'armée ennemie de Picrochole, comment aussi, pour récompenser frère Jean, il fait bâtir pour lui l'abbaye de Thélème, où la seule règle de conduite est :* Fais ce que voudras.

Avec le livre II apparaît Pantagruel, *fils de Gargantua, qui est envoyé par son père dans les Universités alors célèbres : il rencontre en route l'écolier limousin qui parle latin en français et reçoit à Paris une lettre de son père qui lui trace tout un programme d'éducation ; puis il rencontre à Paris le joyeux coquin qu'est Panurge et se lie avec lui d'amitié.*

Au Tiers livre, *Panurge, devenu personnage de premier plan, tient à savoir s'il ferait bien de se marier et consulte, en compagnie de Pantagruel, la Sibylle de Panzoust, le muet Nazdecabre, le poète Raminagrobis (Guillaume Crétin ?), l'astrologue Her Trippa (Corneille Agrippa ?), le médecin Rondibilis (Rondelet), le philosophe Trouillogan, le théologien Hippotadée (Lefebvre d'Etaples), le juge Bridoie et enfin le fou Triboulet qui le persuade d'aller consulter l'oracle de la Dive Bouteille.*

Au Quart livre, *Pantagruel et Panurge, partis à la « quête » de la Dive Bouteille, font escale dans toutes sortes d'îles : celle des Chicanoux (gens de justice), des Papefigues (protestants), des Papimanes (catholiques), sans parler du pays de Carême-Prenant (jeûneurs et abstinents), de celui des Andouilles, dont le nom dit bien ce qu'il veut dire, et de celui de Gaster, premier maître ès-arts du monde (Epicuriens).*

Au Cinquième livre, *la navigation de Pantagruel se poursuit : il aborde l'Ile Sonnante (Rome), l'île des Chats-Fourrés (magistrats judiciaires), d'Entéléchie (Quinte Essence), et connaît enfin la réponse de la Dive Bouteille :* Trink *(= bois).*

Au total, deux livres qui forment une Iliade burlesque, trois autres qui sont une Odyssée amusante.

Les cinq livres de Rabelais qui se font suite et qui ne sont en réalité qu'une seule et même narration, constituent une histoire gigantale, *l'histoire d'une famille de rois géants. Le grand-père, c'est* Grandgousier, *bonhomme fruste et puéril, l'homme de la bonne nature ; son fils,* Gargantua, *très sage et très prudent, peu instruit, mais estimant infiniment l'instruction, encore qu'il mette au-dessus la loyauté de l'esprit et la bonté du cœur : « Science sans conscience n'est que ruine de l'âme » ; son petit-fils,* Pantagruel, *vertueux, sage et savant, très bon, spirituel, aimant les lettres et les arts, avec pourtant un faible pour les fripons, quand ils sont amusants. A côté, des personnages « secondaires » très importants, plus importants parfois que les protagonistes :* Picrochole, *le conquérant téméraire, le roi vaniteux et imbécile ;* frère Jean des Entonmeures, *le moine batailleur, mais qui a bon cœur et dont le seul tort est « d'être moine contre toute vocation » ;* Panurge *enfin et surtout, ce Villon sans génie, écolier gai, vantard, poltron, voleur et fourbe, qui se fait tout pardonner par ses bons mots.*

Les plus hautes parties du récit de Rabelais sont celles qui touchent à l'éducation et à la morale.

Ce grand Renaissant veut donner aux enfants et aux hommes une instruction immense, pleine de faits et de choses, allant des métiers manuels à la médecine, à l'histoire naturelle, à l'astronomie. Il est l'ennemi né de la scolastique et de la métaphysique. « Il croit, a dit joliment Faguet, sans doute pour l'avoir éprouvé sur lui-même, que la science et l'amour de la science suffisent à tenir l'homme dans une région élevée où il est à l'abri des passions et des troubles, et que là est toute la morale. »

Cette morale, qu'il appelle le pantagruélisme, *est une sorte de stoïcisme allègre qui tient en deux ou trois principes fondamentaux :*

1° Il faut mépriser la fortune et tous les coups du hasard, c'est-à-dire tout. « Pantagruel jamais ne se tourmentait, jamais ne se scandalisait », goûtant « certaine gaieté d'esprit confite en mépris des choses fortuites » ;

2° L'homme, qui est libre, doit répudier toutes les contraintes imbéciles : superstitions, gloses, disciplines vaines, et revenir à la seule nature, qui nous commande un plein épanouissement du corps et de l'esprit, sans peur des limites, des bornes et de ce qu'à tort on appelle excès ;

3° L'homme, affranchi des dogmes, navigue à la recherche du grand peut-être, *et ne s'arrête qu'au vrai, en chassant les chimères, les mensonges, les légendes et les impostures — impostures de toute sorte qu'entretiennent notamment les moines, Rome et Genève, les fanatiques et les charlatans, les scolastiques, les pédants et les imbéciles, ou, comme le dit Rabelais en son langage, « les traîtres qui regardent par un pertuis, les cagots, escargots, matagots, hypocrites, cafards, empantouflés, papelards, chattemites, pattes pelues et autres telles sectes de gens qui se sont déguisés comme masques pour tromper le monde. »*

De l'œuvre de Rabelais se dégage sinon une doctrine, du moins une sagesse — une sagesse riante et généreuse, qui a tous les fanatismes en horreur. Lui-même nous a invités à « briser l'os » de ses ouvrages pour atteindre

« la substantifique moelle ». On a vu là une énigme à résoudre, ou du moins un mystère à percer. Le secret de Rabelais, pour les uns, c'est le protestantisme, pour d'autres l'évangélisme, pour d'autres encore la libre-pensée. Hugo découvre sous son « rire énorme » l'« un des gouffres de l'esprit ». Rabelais n'est ni protestant, ni libre-penseur, et son évangélisme ne se dissimule guère. Il n'est pas non plus un écrivain abscons. Son invite à atteindre la substance sous les mots s'apparente au conseil du laboureur de La Fontaine : « Un trésor est caché dedans ». Il n'y a pas de trésor, ou plutôt le trésor est dans la méthode, dans le travail, dans la recherche. Tel est le seul, le grand, le sage conseil de Rabelais.

Ce conseil perpétuel, un récit l'emporte, qui est une merveille de mouvement, de coloris, de sons et de vocables génialement assemblés. Tout vit, naturellement et intensément, sous sa plume. Nul écrivain ne lui est supérieur, nul n'a poussé plus avant l'art d'enfiler les mots. Il faut lire, pour s'émerveiller, le prodigieux chapitre où sont peintes, happées sur le vif, les contenances qu'eurent pendant la tempête frère Jean des Entonmeures et Panurge — ou encore les lamentations alertes et allègres de Gargantua pleurant la mort de sa femme Badebec : « Ma femme est morte. Eh bien ! par Dieu, je ne la ressusciterai pas par mes pleurs ; elle est bien ; elle est en paradis pour le moins, si mieux n'est ; elle prie Dieu pour nous ; elle est bien heureuse ; elle ne se soucie plus de nos misères et calamités : autant nous en pend à l'œil. Dieu garde le demeurant ! Il me faut penser d'en trouver une autre. »

On dirait — l'observation est, je crois, d'Anatole France — que le son des mots excite et amuse notre auteur, comme une mule qui court au bruit de ses grelots. Connaissez-vous l'aventure qui termine la vie du prêtre Tappecoue ? L'art d'écrire n'a jamais été au-delà : « La poultre (jument), tout effrayée, se mit au trot, à pets, à bonds et au galop ; à ruades, fressurades, doubles pédales et pétarades — tant qu'elle rua bas Tappecoue, quoiqu'il se tînt à l'aube du bât de toutes ses forces. Ses étrivières étaient de cordes : du côté hors le montonoir son soulier fenestré était si fort entortillé qu'il ne le put oncques tirer. Ainsi était traîné à écorche-cul par la poultre, toujours multipliant en ruades contre lui et fourvoyante de peur par les haies, buissons et fossés. De mode qu'elle lui cabbit toute la tête, si que la cervelle en tomba près de la Croix Osanière, puis les bras en pièces, l'un çà, l'autre là, les jambes de même ; puis des boyaux fit un long carnage, en sorte que la poultre au couvent arrivante, de lui ne portait que le pied droit et soulier entortillé. » Quelle allégresse dans cette scène de démantibulement, et dont le rythme même fait oublier la funeste horreur !

Fait de *devis*, c'est-à-dire de propos que l'auteur tient à ses lecteurs (réflexions, boniments et commentaires) et de *narrés*, (entendez : de récits qui sont d'ailleurs étroitement mêlés), l'art d'écrire tient chez Rabelais du prodige. Il fait semblant, comme l'ont très bien vu Abel Lefranc et Jean Plattard, de tenir ses lecteurs pour des auditeurs et il capte leur attention par des apostrophes et des facéties, des jeux de mots et des calembours, des kyrielles de vocables assonancés, des distractions feintes et des quiproquos. Il aime à tirer des effets comiques de l'étymologie farcesque ou de la forme singulière d'un mot. Il adore, notamment dans le *Pantagruel*, les mystifications et ce qu'on appelait de son temps les *bernes*. Bernés, l'écolier limousin qui croyait faire Pantagruel quinaud et le fameux clerc Thaumaste confondu par Panurge ; dupé, le roi Anarche, qui mange certaine confiture d'euphorbe préparée par Panurge et contracte, l'ayant fait, une soif inextinguible.

Rabelais aime aussi à ridiculiser ses héros par leurs manies et leurs tics : c'est frère Jean des Entonmeures qui cite à chaque instant et toujours à contre-sens son bréviaire ; c'est Rondibilis qui ne refuse jamais, tout en feignant de s'en défendre, les écus qu'on lui glisse dans la main ; c'est le juge Bridoie qui, pour étayer ses truismes, les appuie de quantité de références aux lois et aux jurisconsultes ; c'est Janotus qui est incapable de pro-

noncer une phrase sans l'entrecouper de ses bredouillements et de sa toux chronique.

Encore qu'il invente rarement ses anecdotes, Rabelais y mêle une telle puissance de vie qu'elles semblent sous sa plume vraiment neuves. L'Arioste, Pogge et l'auteur des Cent Nouvelles Nouvelles du roi Louis XI *avaient conté avant lui l'histoire de l'anneau de Hans Carvel. Mais, par son génie à peindre les personnages, il les transfigure et fait oublier ses devanciers : voyez l'épouse « jeune, belle, fraîche, galante, avenante, gracieuse par trop envers ses voisins et ses serviteurs » et son mari « ventru quelque peu, branlant de la tête et mal aisé de sa personne », qui, parce qu'il exerce le métier d'orfèvre au service d'un prince musulman, jure sans cesse « par Mahom » — et qui fait à sa femme qui le trompe « tout plein de beaux contes touchant les désolations survenues par adultère », lui lit la légende des prudes femmes, lui prêche la pudicité et lui fait cadeau, pour la garder fidèle, d'un « beau collier couvert de saphirs orientaux ».*

Dans son vocabulaire, d'une richesse extraordinaire et dont une verve non moins singulière fait bondir et rebondir les mots, on trouve comme un thésaurus de toutes les vieilles provinces françaises (Touraine, Poitou en tête, et aussi Berry, Lyonnais, Gascogne, Languedoc et Provence), et encore quantité de mots, la plupart techniques, empruntés à l'italien, au basque et à l'hébreu, et qu'il a fait passer dans notre langue.

On pourrait écrire tout un livre sur l'histoire de Rabelais en France. Le bon roi Henri IV et le régent Philippe d'Orléans en faisaient leurs délices ; Jaurès et Clemenceau en savaient des passages par cœur. Parmi nos poètes, Mathurin Régnier, Théophile, La Fontaine, Molière, André Chénier, Hugo, Gautier se sont plu à le lire. Parmi nos prosateurs, Montaigne, Diderot, Chateaubriand, Balzac, Nodier, Mérimée, Flaubert, Anatole France, Léon Daudet le citèrent avec éloge ou parfois le pastichèrent.

Presque tous les conteurs de la fin du XVIe siècle :

Guillaume Bouchet, Tabourot des Accords, Béroalde de Verville, Agrippa d'Aubigné dans sa Confession de Sancy, *tentèrent de l'imiter.*

Hors de France, Shakespeare et les humoristes anglais Nash et Sterne s'en inspirèrent.

La popularité de ses personnages est immense : le nom de certains d'entre eux est passé en proverbe. Gargantua et Pantagruel sont restés le type de ceux qui mangent gloutonnement ; les vocables qui les désignent sont devenus des noms communs, et ont formé des dérivés : gargantuesque, pantagruélique. *D'autres comme Panurge ont répandu la locution des « moutons de Panurge ». D'autres... mais on n'en finirait pas. Il sied pourtant d'indiquer que La Fontaine, qui appelait Rabelais* maître François, *lui a emprunté les noms de ses chats : Rodilard, Raminagrobis, Grippeminaud, et n'a pas peu contribué, avec lui, à les rendre à jamais célèbres. Quant à Molière, il n'eût sans doute pas écrit, sans Rabelais, la meilleure scène du* Mariage forcé.

Le nom de Rabelais est devenu lui-même un nom générique pour désigner un homme, un écrivain, qui se fait remarquer par un mélange de verve sensée et de cynisme railleur. On lit dans un recueil de la fin du XVIIIe siècle : « Swift, prêtre, curé, docteur, recteur, prédicateur et, ce qui est bien au-dessus, *le Rabelais de l'Angleterre, disait un jour en chaire devant une nombreuse assemblée : « Il y a trois sortes d'orgueil : l'orgueil de la naissance, celui de la richesse, celui de l'esprit. Je ne vous parlerai pas du dernier ; il n'y a personne parmi vous qui ait à se reprocher un vice aussi impardonnable. » Ce trait d'humour est digne de Rabelais.*

Ses œuvres ont donné lieu à d'innombrables travaux critiques et bibliographiques, que couronna dans la première moitié de ce siècle, la monumentale édition savante d'Abel Lefranc, demeurée, hélas ! inachevée.

Nous avons cru qu'il n'était pas inutile de donner ici, de l'œuvre de Rabelais, une édition adaptée, pour la rendre plus facile à lire, à l'orthographe moderne et illus-

trée de dessins célèbres dont Gustave Doré (1) *a orné cette œuvre puissante. Le crayon de ce grand artiste s'est donné librement carrière dans une œuvre de haute fantaisie ; ce ne sont que personnages gigantesques, accoutrements bizarres, trognes rubicondes de moines, grandes dames à falbalas, architectures baroques présentant un fouillis pittoresque de tonnelles en poivrière, de donjons crénelés, d'échauguettes et de mâchicoulis. Illustrations d'un maître qui a compris le génie d'un écrivain, qui fut, presque sans le savoir, la merveille de son temps, et qui a fait candidement l'un des plus grands livres du monde.*

Maurice RAT.

---

(1) Voir notice biographique en page 255.

LA VIE TRES HORRIFIQUE
DU GRAND

GARGANTUA

PERE DE PANTAGRUEL

jadis composée par M. Alcofribas
abstracteur de quintessence

livre plein de pantagruélisme

Aux lecteurs

Amis lecteurs, qui ce livre lisez,
Dépouillez-vous de toute affection,
Et, le lisant, ne vous scandalisez ;
Il ne contient mal ni infection.
Vrai est qu'ici peu de perfection
Vous apprendrez, sinon en cas de rire ;
Autre argument ne peut mon cœur élire ;
Voyant le deuil qui vous mine et consomme :
Mieux est de ris que de larmes écrire,
Parce que rire est le propre de l'homme.

Prologue de l'auteur

Buveurs très illustres, et vous, vérolés très précieux, — car à vous, non à d'autres, sont dédiés ces écrits, — Alcibiade, au dialogue de Platon intitulé *le banquet,* louant son précepteur Socrate, sans controverse prince des philosophes, entre autres paroles, le dit être semblable aux Silènes.

Silènes étaient jadis petites boîtes, telles que nous en voyons à présent aux boutiques des apothicaires, peintes au-dessus de figures joyeuses et frivoles, comme de harpies, satyres, oisons bridés, lièvres cornus, canes bâtées, boucs volants, cerfs limoniers et autres telles peintures contrefaites à plaisir pour exciter le monde à rire, — comme fut Silène, maître du bon Bacchus. Mais au-dedans, l'on conservait les fines drogues, comme baume, ambre gris, amome, musc, civette, pierreries et autres choses précieuses.

Tel disait être Socrate, parce que, le voyant au-dehors et l'estimant par l'extérieure apparence, vous n'en eussiez donné un copeau d'oignon, tant laid il était de corps et ridicule en son maintien, le nez pointu, le regard d'un taureau, le visage d'un fou, simple en mœurs, rustique en vêtements, pauvre de fortune, infortuné en femmes, inapte à tous offices de la république, toujours riant, toujours buvant d'autant à un chacun, toujours se moquant, toujours dissimulant son divin savoir.

Mais en ouvrant cette boîte, vous eussiez au-dedans trouvé une céleste et inappréciable drogue : entendement plus qu'humain, vertu merveilleuse, courage invincible, sobriété non pareille, contentement certain, assurance parfaite, détachement incroyable de tout ce pourquoi les humains tant veillent, courent, travaillent, naviguent et bataillent.

A quel propos, à votre avis, tend ce prélude et coup d'essai ?

Parce que vous, mes bons disciples, et quelques autres fous de loisir, en lisant les joyeux titres de certains livres de notre invention, comme *Gargantua, Pantagruel, Fessepinte, la Dignité des Braguettes, Des pois au lard cum commento,* etc..., vous jugez trop facilement n'être au-dedans traité que moqueries, folâtreries et menteries joyeuses, vu que l'enseigne extérieure — c'est le titre —, sans plus avant enquérir, est communément reçue à dérision et gausserie. Mais il ne convient d'estimer par une telle légèreté les œuvres des humains. Car vous-mêmes dites que l'habit ne fait pas le moine ; et tel est vêtu d'habit monacal, qui au-dedans n'est rien moins que moine, et tel est vêtu de cape espagnole, qui en son courage n'a nul rapport avec l'Espagne.

C'est pourquoi il faut ouvrir le livre et soigneusement peser ce qui y est déduit. Lors vous connaîtrez que la drogue contenue dedans est d'une bien autre valeur que ne promettait la boîte, c'est-à-dire que les matières ici traitées ne sont pas aussi folâtres que le titre au-dessus le prétendait.

Et, supposé le cas qu'au sens littéral vous trouviez des matières assez joyeuses et bien correspondant au nom, toutefois il ne faut pas demeurer là comme au chant des Sirènes, mais à plus haut sens interpréter ce que par aventure vous croyiez dit en gaîté de cœur.

Crochetâtes-vous oncques des bouteilles ? Mâtin ! Remettez-vous en mémoire la contenance que vous aviez. Mais vîtes-vous oncques un chien rencontrant quelque os médullaire ? C'est, comme dit Platon, *liv. II de la république,* la bête du monde la plus philosophe.

Si vous l'avez vu, vous avez pu noter de quelle dévotion il le guette, de quel soin il le garde, de quelle ferveur il le tient, de quelle prudence il l'entonne, de quelle affection il le brise, de quelle diligence il le suce. Qui l'induit à faire cela ? Quel est l'espoir de son zèle ? Quel bien prétend-il ? Rien de plus qu'un peu de moelle. Il est vrai que ce peu est plus délicieux que le beaucoup de toutes autres nourritures, parce que la moelle est un aliment élaboré à perfection de nature comme dit Galien, chapitre III *De Facultatibus naturalibus*, et XX, *De Usu partium*.

A l'exemple de celui-ci, il vous convient d'être sages pour fleurer, sentir et estimer ces beaux livres de haute graisse, légers au pourchas et hardis à la rencontre ; puis, par curieuse lecture et méditation fréquente, rompre l'os et sucer la substantifique moelle, — c'est-à-dire ce que j'entends par ces symboles pythagoriques — avec l'espoir certain de devenir accorts et preux à la dite lecture : car en celle-ci vous trouverez bien autre goût et doctrine plus absconse, laquelle vous révèlera de très haut sacrements et mystères horrifiques, tant en ce qui concerne notre religion qu'aussi l'état politique et la vie économique.

Croyez-vous, en votre foi, qu'oncques Homère, écrivant *l'Iliade* et *l'Odyssée*, pensât aux allégories qu'ont calfatées de lui Plutarque, Héraclide du Pont, Eustathe, Phornutus, et ce que Politien leur a dérobé ? Si vous le croyez, vous n'approchez ni des pieds ni des mains de mon opinion, qui décrète que celles-ci ont été peu songées par Homère, que par Ovide en ses *Métamorphoses* les sacrements de l'Evangile, lesquels un Frère Lubin, vrai croque-lardon, s'est efforcé de démontrer, si d'aventure il rencontrait gens aussi fols que lui, et, comme dit le proverbe, couvercle digne du chaudron.

Si vous ne le croyez, quelle raison y a-t-il pour n'en pas faire autant de ces joyeuses et nouvelles chroniques, bien que, les dictant, je n'y pensasse pas plus que vous, qui par aventure buviez comme moi ?

Car, à la composition de ce livre seigneurial, je ne perdis ni employai oncques plus ni autre temps que celui qui était établi à prendre ma réfection corporelle, à savoir buvant et mangeant. Aussi est-ce la juste heure d'écrire ces hautes matières et sciences profondes, comme savaient bien le faire Homère, parangon de tous les philologues, et Ennius, père des poètes latins, ainsi qu'en témoigne Horace, quoiqu'un malotru ai dit que ses charmes sentaient plus le vin que l'huile.

Autant en dit un turlupin de mes livres ; mais bien pour lui !

L'odeur du vin est, oh combien ! plus friande, riante, priante, plus céleste et délicieuse que celle de l'huile ! Et je prendrai autant à gloire qu'on dise de moi que j'ai plus dépensé en vin qu'en huile, que fit Démosthène quand de lui on disait qu'il dépensait plus en huile qu'en vin. A moi n'est qu'honneur et gloire d'être dit et réputé bon gars et bon compagnon, et en ce nom je suis bien venu en toutes bonnes compagnies de Pantagruélistes. A Démosthène il fut reproché par un esprit chagrin que ses *Oraisons* sentaient comme la serpillière d'un ordurier et sale huilier.

Pourtant, interprétez tous mes faits et mes dits en très bonne part ; ayez en révérence le cerveau caséiforme qui vous repaît de ces belles billevesées, et, selon votre possible, tenez-moi toujours pour joyeux.

Or, ébaudissez-vous, mes amours, et gaîment lisez le reste, tout à l'aise du corps et au profit des reins ! Mais écoutez, vits d'ânes — que *le maulubec vous trousque !* — qu'il vous souvienne de boire à moi à la pareille, et je vous ferai raison tout à l'heure.

CHAPITRE PREMIER

De la généalogie et de l'antiquité de Gargantua

Je vous remets à la *Grande Chronique Pantagruéline* de reconnaître la généalogie et l'antiquité dont nous est venu Gargantua.

En celle-ci, vous entendrez plus au long comment les géants naquirent en ce monde, et comment d'eux, par lignes directes, sortit Gargantua, père de Pantagruel ; et il ne vous fâchera pas si, pour le présent, je m'en déporte, bien que la chose soit telle que, tant plus serait commémorée, tant plus elle plairait à Vos Seigneuries : comme vous avez l'autorité de Platon, dans le *Philèbe* et dans *Gorgias*, et de Flaccus, qui dit être d'aucuns propos — tels que ceux-ci sans doute — qui plus sont délectables quand plus souvent sont redits.

Plût à Dieu qu'un chacun sût aussi certainement sa généalogie depuis l'arche de Noé jusqu'à cet âge !

Je pense que plusieurs sont aujourd'hui empereurs, rois, ducs et papes en la terre, lesquels sont descendus de quelques porteurs de rogatons et de hottes, comme au rebours plusieurs sont gueux de l'hospice, souffreteux et misérables, lesquels sont descendus de sang et ligne de grands rois et empereurs, attendu l'admirable transport des règnes et empires :
des Assyriens aux Mèdes,des Macédoniens aux Romains,
des Mèdes aux Perses, des Romains aux Grecs,
des Perses aux Macédoniens,des Grecs aux Français.

Et, pour vous donner à entendre de moi qui parle, je crois que je suis descendu de quelque riche roi ou prince du temps jadis, car oncques ne vîtes-vous homme qui eût plus grande affection d'être roi et riche que moi, afin de faire grand'chère, pas ne travailler, point ne me soucier et bien enrichir mes amis et tous gens de bien et de savoir. Mais, sur ce point, je me réconforte qu'en l'autre monde je le serai, voire plus grand qu'à présent je ne l'oserais souhaiter. Vous, en telle ou meilleure pensée, réconfortez votre malheur et buvez frais, si faire se peut.

Retournant à nos noutons, je vous dis que, par don souverain des cieux, nous ont été conservées l'antiquité et la généalogie de Gargantua, plus entière que nulle autre, excepté celle du Messie, dont je ne parle, car il ne m'appartient pas ; d'ailleurs les diables — ce sont les calomniateurs et cafards — s'y opposent.

Et elle fut trouvée par Jean Audeau, en un pré qu'il avait près l'Arceau Gualeau, au-dessous de l'Olive, tirant à Narsay, duquel faisant curer les fossés, les piocheurs touchèrent de leurs houes un grand tombeau de bronze, immensément long, car oncques n'en trouvèrent le bout parce qu'il entrait trop avant aux écluses de la Vienne.

En l'ouvrant, en certain lieu marqué au-dessus d'un gobelet, à l'entour duquel était écrit en lettres étrusques :

ils trouvèrent neuf flacons en tel ordre qu'on assied les quilles en Gascogne, desquels celui qui était au milieu couvrait une gros, grand, gris, joli, petit, moisi livret, plus, mais non mieux sentant que roses.

En celui-ci fut la dite généalogie trouvée, écrite au long de lettres chancelleresques, non en papier, non en parchemin, non en cire, mais en écorce d'ormeau, tant toutefois usées par vétusté qu'à peine en pouvait-on trois reconnaître de rang.

Bien qu'indigne, j'y fus appelé, et, à grand renfort de besicles, pratiquant l'art par lequel on peut lire les lettres non apparentes, comme l'enseigne Aristote, je la translatai, ainsi que vous pourrez, en pantagruélisant, c'est-à-dire buvant à mon gré en lisant les exploits horrifiques de Pantagruel.

A la fin du livre était un petit traité intitulé : *les Fanfreluches antidotées.* Les rats et blattes, ou, afin que je ne mente, autres malignes bêtes, avaient brouté le commencement ; j'ai ci-dessous ajouté le reste par révérence de l'antiquaille.

CHAPITRE II

Les Fanfreluches antidotées trouvées en un monument antique

ai ? enu le grand dompteur des Cimbres,
V sant par l'air, de peur de la rosée.
sa venue on a rempli les timbres,
beurre frais, tombant par une housée.
r·quel quand fut la grand'mère arrosée,
Cria tout haut : « Herrs, par grâce, pêchez-le ;
Car sa barbe est presque toute embousée,
Ou pour le moins tenez-lui une échelle.

D'aucuns disaient que lécher sa pantoufle
Etait meilleur que gagner les pardons ;
Mais il survint un affecté maroufle,
Sorti du creux où l'on pêche aux gardons,
Qui dit : « Messieurs, pour Dieu nous en gardons !
L'anguille y est et en cet étau musse ;
Là trouverez — si de près regardons —
Une grand'tare au fond de son aumusse. »

Quand fut au point de lire le chapitre,
On n'y trouva que les cornes d'un veau :
« Je sens le fond, disait-il, de ma mitre
Si froid qu'autour me morfond le cerveau. »
On l'échauffa d'un parfum de naveau
Et fut content de se tenir aux âtres,
Pourvu qu'on fît un limonier nouveau
A tant de gens qui son acariâtres.

Leur propos fut du trou de saint Patrice,
De Gibraltar et de mille autres trous :
S'on les pourrait réduire à cicatrice
Par tel moyen que plus n'eussent la toux,
Vu qu'il semblait impertinent à tous
Les voir ainsi à chaque cent bayer ;
Si d'aventure ils étaient à point clous,
On les pourrait pour otage bailler.

En cet arrêt le corbeau fut pelé
Par Hercule, qui venait de Libye :
« Quoi ! dit Minos, que n'y suis-je appelé ?
Excepté moi, tout le monde on convie ;
Et puis l'on veut que passe mon envie
A les fournir d'huîtres et de grenouilles !
Je donne au diable au cas où de ma vie
Prenne à merci leur vente de grenouilles ! »

Pour les mater survint Q. B. qui clope,
Au sauf-conduit des gentils sansonnets.
Le tamiseur, cousin du grand Cyclope,

Les massacre. Chacun mouche son nez.
En ce guéret peu de bougres sont nés
Qu'on n'ait bernés sur le moulin à tan.
Courez-y tous et l'alarme sonnez :
Plus y aurez que n'y eûtes antan.

Bien peu après, l'oiseau de Jupiter
Délibéra parier pour le pire ;
Mais, les voyant tant fort se dépiter,
Craignit qu'on mît ras, jus, vas, mat l'empire,
Et mieux aima le feu du ciel empire
Au tronc ravir où l'on vend les sorets
Que air serein, contre qui l'on conspire,
Assujettir aux dits des Massorets.

Le tout conclus fut à pointe affilée,
Malgré Até, la cuisse héronnière,
Que là s'assit, voyant Penthésilée
Sur ses vieux ans prise pour cressonnière.
Chacun criait : « Vilaine charbonnière,
T'appartient-il te trouver par chemin ?
Tu l'enlevas, la romaine bannière
Qu'on avait faite au trait du parchemin ! »

Ne fût Junon, que dessous l'arc céleste
Avec son duc tendait à la pipée,
On lui eût fait un tour si très moleste
Que de tous points elle eût été fripée.
L'accord fut tel que de cette lippée
Elle en aurait deux œufs de Proserpine,
Et, si jamais elle y était grippée,
On la lierait au mont de l'aubépine.

Sept mois après — ôtez-en vingt et deux —
Cil qui jadis annihila Carthage
Courtoisement se mit au milieu d'eux,
Les requérant d'avoir son héritage,
Ou bien qu'on fît justement le partage
Selon la loi que l'on tire au rivet,

Distribuant un tatin du potage
A ses faquins qui firent le brevet.

Mais l'an viendra, marqué d'un arc turquois,
De v. fuseaux et trois culs de marmite,
Auquel le dos d'un roi trop peu courtois,
Poivré sera sous un habit d'ermite.
Oh ! la pitié ! Pour une chattemite,
Laisserez-vous engouffrer tant d'arpents ?
Cessez, cessez ! ce masque nul n'imite ;
Retirez-vous du frère des serpents.

Cet an passé, lui qui est régnera
Paisiblement avec ses bons amis.
Ni brusqu' ni smach lors ne dominera ;
Tout bon vouloir aura son compromis,
Et le soulas, qui jadis fut promis
Aux gens du ciel viendra en son beffroi ;
Lors les haras, qui étaient étommis
Triompheront en royal palefroi.

Et durera ce temps de passe-passe
Jusques à tant que Mars ait les empas.
Puis en viendra un qui tous autres passe,
Délicieux, plaisant, beau sans compas.
Levez vos cœurs, tendez à ce repas,
Tous mes féaux ; car tel est trépassé,
Qui pour tout bien ne retournerait pas,
Tant sera lors clamé le temps passé.

Finalement celui qui fut de cire —
Sera logé au gond du Jacquemart.
Plus ne sera réclamé : « Cire, Cire », —
Le brimbaleur qui tient le coquemart.
Euh ! qui pourrait saisir son braquemart ?
Tôt seraient nets les tintouins cabus,
Et pourrait-on, à fil de poulemart.
Tout bafouer le magasin d'abus.

CHAPITRE III

Comment Gargantua fut onze mois porté dans le ventre de sa mère

Grandgousier était bon gaillard en son temps, aimant à boire net autant qu'homme qui pour lors fût au monde, et il mangeait volontiers salé.

A cette fin, il avait ordinairement bonne munition de jambons de Mayence et de Bayonne, force langues de bœuf fumées abondance d'andouilles en la saison et de bœuf salé à la moutarde, renfort de boutargues, provision de saucisses, non de Bologne, car il craignait le bacon de Lombard, mais de Bigorre, de Longaulnay, de la Brenne et du Rouergue.

En son âge viril il épousa Gargamelle, fille du roi des Parpaillots, belle gouge et de bonne trogne ; et ils faisaient, eux deux, souvent ensemble la bête à deux dos, joyeusement se frottant leur lard, tant qu'elle engrossa d'un beau fils, et le porta jusqu'au onzième mois.

Car autant, voire davantage, peuvent les femmes leur ventre porter, surtout quand c'est quelque chef-d'œuvre et un personnage qui doive en son temps faire de

grandes prouesses, comme Homère dit que l'enfant dont Neptune engrossa la nymphe naquit l'an après révolu : ce fut le douzième mois. Car, comme dit Aulu-Gelle, *Liv. III*, ce long temps convenait à la majesté de Neptune, afin que l'enfant fût formé à la perfection. Avec une pareille raison, Jupiter fit durer quarante-huit heures la nuit qu'il coucha avec Alcmène, car en moins de temps n'eût-il pu forger Hercule, qui nettoya le monde de monstres et tyrans.

Messieurs les anciens Pantagruélistes ont confirmé ce que je dis, et ont déclaré non seulement possible, mais aussi légitime, l'enfant né de la femme le onzième mois après la mort de son mari.

Hippocrate, liv. *de Alimento*, Pline, liv. VII, chap. V, Plaute dans *Cistellaria*, Marcus Varron en la satire intitulée *le Testament*, alléguant l'autorité d'Aristote à ce propos, Censorinus, liv. *de Die natali*, Aristote, liv. VII, chap. III et IV, *de Natura animalium*, Aulu-Gelle, liv. III, chap. XVI, Servius, en *les Eglogues* expliquant ce vers de Virgile : *Matri longa decem*, etc., et mille autres fous, dont le nombre a été accru par les légistes : *ff. de suis et legit. l. Intestato*, § *fin, et in Authent. de Restitut., et ea quœ parit in undecimo mense*. Par surcroît en ont barbouillé leur robidilardique loi Gallus, *ff. de lib. et posthu., et l. septimo, ff. de Stat, homi.*, et quelques autres, que pour le présent je n'ose dire ; moyennant lesquelles lois les femmes veuves peuvent franchement jouer du serre-croupière à tous défis et tous risques deux mois après le trépas de leurs maris.

Je vous prie, par grâce, vous autres mes bons garnements, si vous en trouvez qui vaillent le débraguetter, montez dessus et amenez-les moi. Car, si au troisième mois elles engrossent, leur fruit sera héritier du défunt, et, la grossesse connue, qu'elles poussent hardiment outre, et vogue la galère, puisque la panse est pleine ! Comme Julie, fille de l'empereur Auguste, ne s'abandonnait à ses tambourineurs que quand elle se sentait grosse, à la manière que le navire ne reçoit son pilote qu'il ne soit d'abord calfaté et chargé.

Et si personne les blâme de se faire rataconniculer ainsi sur leur grossesse, vu que les bêtes sur leurs ventrées n'endurent jamais le mâle masculant, elles répondront que ce sont des bêtes, mais qu'elles sont femmes, bien entendant les beaux et joyeux menus droits de superfétation, comme jadis répondit Populie, selon le rapport de Macrobe, liv. II des *Saturnales*.

Si le diable ne veut pas qu'elles engrossent, il faudra tordre le douzil, et bouche close.

CHAPITRE IV

Comment Gargamelle, étant grosse de Gargantua, mangea une grande quantité de tripes

L'occasion et la manière dont Gargamelle enfanta fut telle, et, si vous ne le croyez, que le fondement vous échappe !

Le fondement lui échappait une après-dînée, le troisième jour de février, pour avoir trop mangé de gaudebillaux. Les gaudebillaux sont de grasses tripes de coiraux. Les coiraux sont des bœufs engraissés à la crèche et aux prés guimaux. Les prés guimaux sont ceux qui portent de l'herbe deux fois l'an. De ces gras bœufs ils en avaient fait tuer trois cent soixante-sept mille quatorze pour être salés au mardi gras, afin qu'à la primevère ils eussent des bœufs de saison à tas pour, au commencement des repas, faire commémoration de salures et mieux entrer en vin.

Les tripes furent copieuses, comme vous l'entendez, et elles étaient si friandes que chacun en léchait ses doigts. Mais la grande diablerie à quatre personnages était bien en ce qu'il n'était possible de longuement les conserver, car elles se fussent pourries, ce qui semblait indécent. D'où il fut conclu qu'ils les bâfreraient sans rien en perdre.

A ce faire ils convièrent tous les citadins de Cinais, de Seuilly, de la Roche-Clermaud, de Vaugaudry, sans laisser en arrière le Coudray — Montpensier, le Gué

de Vède et autres voisins, tous bon buveurs, bons compagnons et beaux joueurs de quille-là. Le bonhomme Grandgousier y prenait un plaisir bien grand et commandait que tout allât par écuelles. Il disait toutefois à sa femme qu'elle en mangeât le moins possible, vu qu'elle approchait de son terme et que cette tripaille n'était pas viande bien louable : « Celui-ci, disait-il, a grande envie de mâcher de la merde, qui de celle-ci le sac mange. » Nonobstant ces remontrances, elle en mangea seize muids, deux tonneaux et six pots. O belle matière fécale qui devait boursoufler en elle !

Après dîner, tous allèrent pêle-mêle à la Saussaie, et là sur l'herbe drue, ils dansèrent au son des joyeux flageolets et des douces cornemuses, tant s'ébaudissant que c'était un passe-temps céleste de les voir ainsi rigoler.

CHAPITRE V

Les propos de bien-ivres

Puis ils entrèrent en propos de collationner en même lieu. Lors flacons d'aller, jambons de trotter, gobelets de voler, brocs de tinter.

« Tire.

— Baille.

— Tourne.

— Brouille.

— Boute à moi sans eau ; ainsi, mon ami.

— Fouette-moi ce verre galamment.

— Verse-moi du clairet, verre pleurant.

— Trêve de soif !
— Ha ! fausse fièvre, ne t'en iras-tu pas ?
— Par ma foi ! ma commère, je ne peux entrer en boisson.
— Vous êtes morfondue, m'amie ?
— Voire.
— Ventre-saint-Quenet, parlons de boire.
— Je ne bois qu'à mes heures, comme la mule du pape.
— Je ne bois qu'en mon bréviaire, comme un beau père gardien.
— Qui fut le premier, la soif ou la beuverie ?
— La soif ; car qui eût bu sans soif durant le temps d'innocence ?
— La beuverie, car *privatio prœsupponit habitum.* Je suis clerc : *Fecundi calices quem non fecere disertum ?*
— Nous autres, innocents, nous ne buvons que trop sans soif.
— Moi, pêcheurs, non sans soif, et sinon présente, du moins future, la prévenant comme vous l'entendez. Je bois pour la soif à venir.
— Je bois éternellement. Ce m'est éternité de beuverie et beuverie d'éternité.
— Chantons, buvons ; entonnons un motet.
— Où est mon entonnoir ?
— Quoi ? Je ne bois que par procuration.
— Mouillez-vous pour sécher, ou séchez-vous pour mouiller ?
— Je n'entends point la théorie ; de la pratique je m'aide quelque peu.
— Hâte !
— Je mouille, j'humecte, je bois et tout, de peur de mourir.
— Buvez toujours, vous ne mourrez jamais.
— Si je ne bois, je suis à sec : me voilà mort. Mon âme s'enfuira en quelque grenouillère. En sec jamais l'âme n'habite.
— Sommeliers, ô créateurs de nouvelles formes, ren-

dez-moi de non-buvant buvant.

— Pérennité d'arrosement par ces nerveux et secs boyaux.

— Pour néant, boit, qui ne s'en sent.

— Ceci entre dans les veines, la pissotière n'y aura rien.

— Je laverais volontiers les tripes de ce veau que j'ai ce matin habillé.

J'ai bien garni mon estomac.

— Si le papier de mes cédules buvait aussi bien que je fais, mes créditeurs auraient bien leur vin quand on viendrait à l'échéance.

- Cette main vous gâte le nez.

Oh ! combien d'autres y entreront avant que celui-ci en sorte !

— Boire à si petit gué, c'est pour rompre son poitrail.

— Ceci s'appelle pipée à flacons.

— Quelle différence y a-t-il entre bouteille et flacon ?

— Grande, car la bouteille est fermée avec un bouchon et le flacon avec une vis.

— De belles !

— *Nos pères burent bien et vidèrent les pots !*

— C'est bien chié chanté. Buvons !

— Voulez-vous rien mander à la rivière ?

— Je ne bois pas plus qu'une éponge.

— Je bois comme un templier.

— Et moi, *tanquam sponsus.*

— Et moi, *sicut terra sine aqua.*

— Un synonyme de jambon ?

— C'est un compulsoire de buvettes, c'est un poulain. Par le poulain on descend le vin en cave, par le jambon en l'estomac.

— Or çà, à boire, boire çà ! Il n'y a point de surcharge. *Respice personam, pone pro duos : bus non est in usu.*

— Si je montais aussi bien comme j'avale, je serais il y a belle lurette haut en l'air.

— *Ainsi se fit Jacques Cœur riche.*

— *Ainsi profitent bois en friche.*

— *Ainsi a conquis Bacchus l'Inde.*

— *Ainsi philosophie Mélinde.*

— Petite pluie abat grand vent ; longues buvettes rompent le tonnerre.

— Mais si ma couille pissait une telle urine, la vou-

Les tripes furent copieuses, comme entendez, & tant friandes estoient que chascun en leichoit ses doigts. (Livre I, Chapitre IV.)

driez-vous bien sucer ?

— Je te retiens après.

— Page, baille ; je t'insinue ma nomination à mon tour.

— *Hume, Guillot !*
Encore y en a-t-il un pot !

— Je me porte pour appelant de soif comme d'abus. Page, relève mon appel en forme.

— Cette rognure !

— J'avais coutume, jadis, de boire tout ; maintenant je n'y laisse rien.

— Ne nous hâtons pas et amassons bien tout.

— Voici tripes de jeu et gaudebillaux de relance de ce bœuf roux à la raie noire. Oh ! pour Dieu, étrillons-le à profit de ménage.

— Buvez, ou je vous...

— Non, non !

— Buvez, je vous en prie.

— Les passereaux ne mangent que si on leur tape la queue. Je ne bois que si l'on me flatte.

— *Lagona edatera.*

— Il n'y a de recoin en tout mon corps où ce vinci ne furette la soif.

— Celui-ci me la fouette bien.

— Celui-ci me la bannira tout à fait.

— Cornons ici, à son de flacons et bouteilles, que quiconque aura perdu la soif n'ait à la chercher céans. Longs clystères de beuverie l'ont fait vider hors le logis.

— Le grand dieu fit les planètes, et nous faisons les plats nets.

— J'ai la parole de Dieu en bouche : *Sitio !*

— La pierre dite *asbestos* n'est pas plus inextinguible que la soif de ma paternité.

— L'appétit vient en mangeant, disait Angest au Mans ; la soif s'en va en buvant.

— Remède contre la soif ?

— Il est contraire à celui qui est contre la morsure d'un chien : courez toujours après le chien, jamais il ne vous mordra ; buvez toujours avant la soif, et jamais elle ne vous adviendra.

— Je vous y prends, je vous réveille. Sommelier éternel, garde-nous du somme. Argus avait cent yeux pour voir ; il faut cent mains à un sommelier, comme avait Briarée, pour infatigablement verser.

— Mouillons, hé ! il fait beau sécher.

— Du blanc. Verse tout, verse de par le diable ! Verse deçà, tout plein. La langue me pèle.

— *Lans, tringue !*

— A toi, copain, de bon cœur, de bon cœur !

— Là, là, là, c'est bâfré, cela.

— *O lacryma Christi !* C'est de la Devinière, c'est du vin pineau.

— O le gentil vin blanc ! et par mon âme, ce n'est que vin de taffetas !

— Hein ! hein ! Il est à une oreille, bien drapé et de bonne laine.

— Mon compagnon, courage !

— Pour ce jeu, nous ne volerons pas, car j'ai fait une levée.

— *Ex hoc in hoc.* Il n'y a point d'enchantements : chacun de vous l'a vu. J'y suis maître passé.

— A brum, à brum ! Je suis prêtre Macé.

— Oh ! les buveurs ! Oh ! les altérés !

— Page, mon ami, emplis ici le vin et couronne le vin, je te prie.

— A la cardinale !

— *Natura abhorret vacuum.* Diriez-vous qu'une mouche y eût bu ?

— A la mode de Bretagne !

— Net, net, à ce piot.

— Avalez, ce sont des herbes. »

CHAPITRE VI

Comment Gargantua naquit de façon bien étrange

Eux tenant ces menus propos de beuverie, Gargamelle commença à se porter mal du bas ; alors Grandgousier se leva de dessus l'herbe et il la réconfortait honnêtement, pensant que c'était mal d'enfant et lui disant qu'elle était là herbée sous la Saussaie, et que bientôt elle ferait pieds neufs. Aussi lui convenait-il de prendre courage à nouveau, au nouvel avènement de son poupon, et, encore que la douleur lui fût quelque peu en fâcherie, toutefois qu'elle serait brève, et la joie qui tôt succéderait lui enlèverait tout cet ennui, en sorte qu'il ne lui en resterait seulement la souvenance.

« Je le prouve, disait-il. Notre Sauveur dit en l'Evangile *Joannis, XVI :* — La femme qui est à l'heure de son enfantement a de la tristesse, mais lorsqu'elle a enfanté, elle n'a souvenir aucun de son angoisse.

— Ha ! dit-elle, vous dites bien, et j'aime beaucoup mieux ouir tels propos de l'Evangile, et mieux je m'en trouve que d'ouïr la vie de sainte Marguerite ou quelque autre cafarderie.

— Courage de brebis ! disait-il. Dépêchez-vous de celui-ci, et bientôt nous en faisons un autre.

— Ha ! dit-elle, vous en parlez bien à votre aise, vous autres hommes ! Bien, de par Dieu, je m'efforcerai, puisqu'il vous plaît. Mais plût à Dieu que vous l'eussiez coupé !

— Quoi ? dit Grandgousier.

— Ha ! dit-elle, que vous êtes bonhomme ! Vous l'entendez bien.

— Mon membre ? dit-il. Sang des chèvres ! Si bon vous semble, faites apporter un couteau.

— Ha ! dit-elle, à Dieu ne plaise ! Dieu me le pardonne, je ne le dis pas de bon cœur, et, pour ma parole, n'en faites ni plus ni moins. Mais j'aurai fort à faire aujourd'hui, si Dieu ne m'aide, et tout par votre membre, que vous fussiez bien aise !

— Courage ! courage ! dit-il. Ne vous souciez du reste, et laissez faire aux quatre bœufs de devant. Je m'en vais boire encore quelque coup. Si, cependant, il vous survenait quelque mal, je me tiendrai auprès : mettant vos mains en porte-voix, je me rendrai à vous. »

Peu de temps après, elle commença à soupirer, lamenter et crier. Soudain vinrent à tas sages-femmes de tous côtés ; et, la tâtant par le bas, elles trouvèrent

quelques morceaux de peau d'assez mauvais goût, et pensaient que ce fût l'enfant. Mais c'était le fondement qui lui échappait à la mollification de l'intestin droit — lequel vous appelez le boyau culier — pour avoir trop mangé de tripes, comme nous l'avons déclaré ci-dessus.

Aussi une vilaine vieille de la compagnie, laquelle avait réputation d'être grand médecin et qui était venue là de Brisepaille d'auprès Saint-Genou soixante ans auparavant, lui fit un astringent si horrible que tous ses muscles du cul furent si obstrués et resserés qu'à grand peine avec les dents vous les eussiez élargis — ce qui est chose bien horrible à penser : de même que le diable, à la messe de saint Martin, écrivant le caquet de deux galantes, à belles dents allongea son parchemin.

Par cet inconvénient furent au-dessus relâchés les cotylédons de la matrice, par lesquels sursauta l'enfant et

entra en la veine creuse, et, gravissant par le diaphragme jusqu'au dessus des épaules, où la dite veine se sépare en deux, il prit son chemin à gauche et sortit par l'oreille gauche.

Sitôt qu'il fut né, il ne cria pas comme les autres enfants : « Mies ! mies ! » Mais, à haute voix, il s'écriait : « A boire ! à boire ! » comme s'il invitait tout le monde à boire, si bien qu'il fut ouï de tout le pays de Beusse et de Bibarais.

Je me doute que vous ne croyez assurément cette étrange nativité. Si vous ne le croyez pas, je ne m'en soucie, mais un homme de bien, un homme de bon sens, croit toujours ce qu'on lui dit et qu'il trouve par écrit. Est-ce contre notre loi, notre fois, notre raison, contre la sainte Ecriture ? Pour ma part, je ne trouve rien d'écrit aux Bibles saintes qui soit contre cela. Mais si le vouloir de Dieu eût été tel, diriez-vous qu'il ne l'eût pu faire ? Ha ! pour grâce, n'emberlificotez jamais vos esprits de ces vaines pensées, car je vous dis qu'à Dieu rien n'est impossible, et, s'il voulait, les femmes auraient dorénavant ainsi leurs enfants par l'oreille.

Bacchus ne fut-il pas engendré par la cuisse de Jupiter ?

Croquemouche, de la pantoufle de sa nourrice ?

Minerve ne naquit-elle pas du cerveau, par l'oreille de Jupiter ?

Adonis, par l'écorce d'un arbre de myrrhe ?

Castor et Pollux, de la coque d'un œuf pondu et éclos par Léda ?

Mais vous seriez bien davantage ébahis et étonnés si je vous exposais présentement tout le chapitre de Pline, où il parle des enfantements étranges et contre nature, et toutefois je ne suis pas menteur aussi assuré qu'il a été. Lisez le septième livre de sa *Naturelle Histoire*, chap. III, et ne m'en tarabustez plus l'entendement.

CHAPITRE VII

Comment son nom fut imposé à Gargantua et comment il humait le piot

Le bonhomme Grandgousier, buvant et rigolant avec les autres, entendit le cri horrible que son fils avait fait en entrant à la lumière de ce monde, quand il

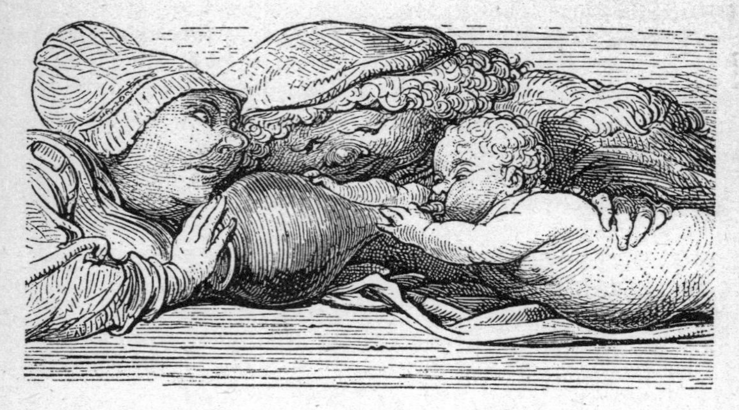

bramait demandant : « A boire ! à boire ! à boire ! », dont il dit : « QUE GRAND TU AS ! » — suppléez : le gosier.

Ce qu'oyant, les assistants dirent que vraiment il devait avoir pour cela le nom de GARGANTUA puisque telle avait été la première parole de son père à sa naissance, à l'imitation et à l'exemple des anciens Hébreux. A quoi fut condescendu par celui-là, et ce qui plut très bien à sa mère. Et, pour l'apaiser, ils lui donnèrent à boire à tire-larigot, et il fut porté sur les fonts et là baptisé, comme est la coutume des bons chrétiens.

Et lui furent ordonnées dix sept mille neuf cent treize vaches de Pontille et de Bréhémont, pour l'allaiter ordinairement. Car, de trouver nourrice suffisante ce n'était pas possible en tout le pays, vu la grande quantité de lait requis pour l'alimenter, bien que d'aucuns docteurs scotistes aient affirmé que sa

mère l'allaita et qu'elle pouvait traire de ses mamelles quatorze cent deux pipes neuf potées de lait à chaque fois : ce qui n'est pas vraisemblable ; et a été la proposition déclarée mamellement scandaleuse, offensante pour les pieuses oreilles, et sentant de loin l'hérésie.

En cet état il passa jusques à un an et dix mois, temps auquel, par le conseil des médecins, on commença à le porter, et il lui fut fait une belle charrette à bœufs par l'invention de Jean Deniau. On le promenait dans cette voiture par-ci par-là, joyeusement, et il le faisait bon voir, car il portait bonne trogne et avait presque dix-huit mentons, et ne criait que bien peu. Mais il se conchiait à toutes heures, car il était merveilleusement flegmatique des fesses, tant de sa complexion naturelle que de la disposition accidentelle qui lui était advenue pour trop humer de purée septembrale. Et il n'en humait goutte sans cause : car s'il advenait qu'il fût dépité, courroucé, fâché ou marri, s'il trépignait, s'il pleurait, s'il criait, on lui apportait à boire, on le remettait en nature, et soudain il demeurait coi et joyeux.

Une de ses gouvernantes m'a dit, jurant par sa foi, que de ce faire il était si coutumier qu'au seul son des pintes et des flacons il entrait en extase, comme s'il goûtait les joies du paradis. En sorte que, considérant cette complexion divine, pour le réjouir au matin, elles faisaient devant lui sonner des verres avec un couteau ou des flacons avec leur bouchon ou des pintes avec leur couvercle, auquel son il s'égayait, il tressaillait, et lui-même se berçait en dodelinant de la tête, monocordisant des doigts et barytonnant du cul.

CHAPITRE VIII

Comment on vêtit Gargantua

Lui étant à cet âge, son père ordonna qu'on lui fît un habillement de sa livrée, laquelle était blanc et bleu. De fait on y besogna, et ils furent faits, taillés et cousus à la mode, qui pour lors courait.

Par les anciennes chartes, qui sont en la Chambre des Comptes à Montauban, je trouve qu'il fût vêtu de la façon qui s'ensuit :

Pour sa chemise furent levées neuf cents aunes de toile de Châtellerault, et deux cents pour les goussets en façon de carreaux, lesquels on mit sous les aisselles. Et elle n'était point froncée, car la fronçure des chemises n'a été inventée que depuis que les lingères, lors-

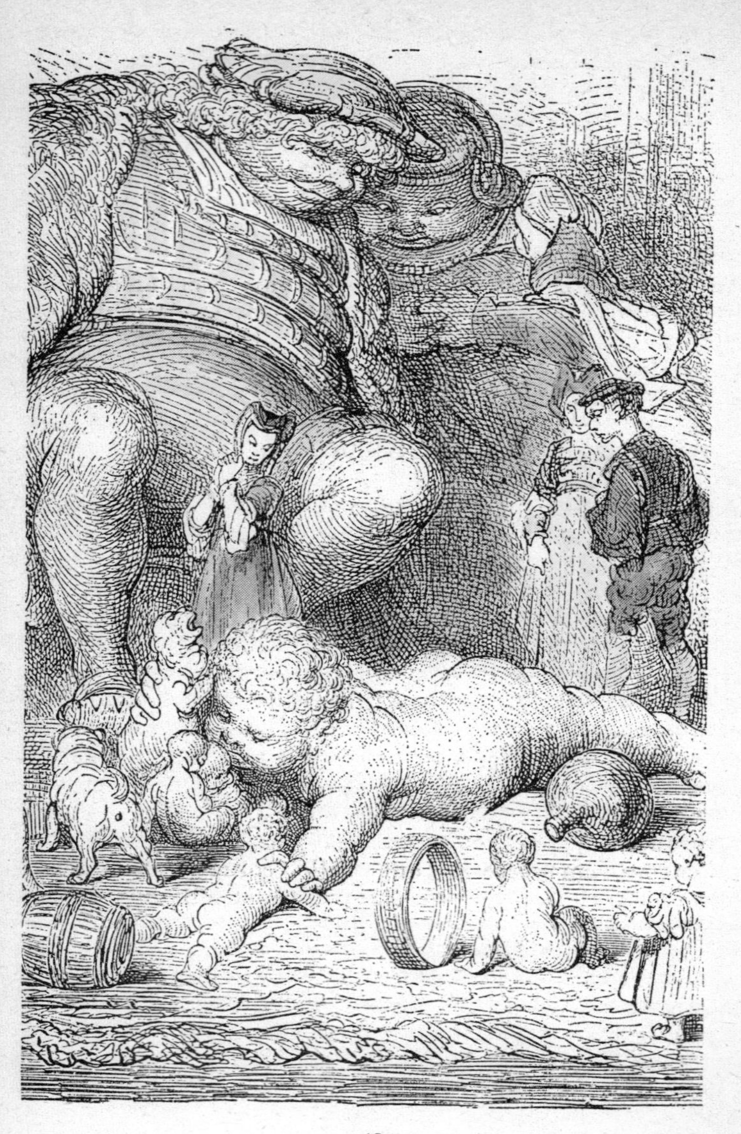

que la pointe de leur aiguille était rompue, ont commencé à besogner du cul.

Pour son pourpoint furent levées huit cent treize aunes de satin blanc, et pour les aiguillettes quinze cent neuf peau et demie de chiens. Lors commença le monde à attacher les chausses au pourpoint, et non le pourpoint aux chausses, car c'est chose contre nature, comme amplement l'a déclaré Occam sur les *Exponibles* de M. Hautechaussade.

Pour ses chausses furent levées onze cent cinq aunes un tier d'étamine blanche, et elles furent déchiquetées en forme de colonnes, striées et crénelées par le derrière, afin de n'échauffer les reins. Et il flottait, par dedans de la déchiqueture, autant de damas bleu que besoin était. Et notez qu'il avait de très belles grègues et bien proportionnées au reste de sa stature.

Pour la braguette furent levées seize aunes un quart de ce même drap, et fut la forme de celle-ci comme un arc-boutant, bien attaché joyeusement à deux belles boucles d'or, que prenaient deux crochets d'émail, à chacun desquels était enchâssée une grosse émeraude de la grosseur d'une pomme d'orange : car, ainsi que dit Orphée, *libro De Lapididibus*, et Pline, *libro ultimo*, elle a une vertu érective et réconfortative du membre naturel. La saillie de la braguette était de la longueur d'une canne, déchiquetée comme les chausses, avec le damas bleu flottant comme devant. Mais, voyant la belle bordure de canetille et les plaisants entrelacs d'orfèvrerie garnis de fins diamants, fins rubis, fines turquoises ; fines émeraudes et perles persiques, vous l'eussiez comparée à une belle corne d'abondance, telle que vous voyez aux antiquailles et telle que donna Rhéa aux deux nymphes Adrasté et Ida, nourrices de Jupiter — toujours galante, succulente, ressudante, toujours verdoyante, toujours fleurissante, toujours fructifiante, pleine d'humeurs, pleine de fleurs, pleine de fruits, pleine de toutes délices. J'avoue Dieu, s'il la faisait bon voir ! Mais je vous en exposerai bien davantage au livre que j'ai fait *De la Dignité des Braguettes.*

En tout cas, je vous avertis que, si elle était longue et bien souple, elle était aussi bien garnie au-dedans et bien ravitaillée, car elle ne ressemblait en rien aux hypocrites braguettes d'un tas de muguets, qui ne sont pleines que de vent, au grand dommage du sexe féminin.

Pour ses souliers furent levées quatre cent six aunes de velours bien cramoisi, et elles furent déchiquetées mignonnement par lignes parallèles jointes en cylindres uniformes. Pour leur semelage furent employées onze cents peaux de vache brune, taillées en queue de merlu.

Pour sa saie furent levées dix huit cents aunes de velours bleu teint en graine d'écarlate, brodé à l'entour de belles branches de vigne et par le milieu de pintes en canetilles d'argent, enchevêtrées de verges d'or avec force perles, marquant par là qu'il serait un bon vide-pintes en son temps.

Sa ceinture fut de trois cents aunes et demie de serge de soie, moitié blanche et moitié bleue, — ou je suis bien abusé.

Son épée ne fut de Valence ni son poignard de Saragosse, car son père haïssait tous ces hidalgos ivrognés, marranisés comme diables. Mais il eut la belle épée de bois et le poignard de cuir bouilli, peints et dorés comme un chacun le souhaiterait.

Sa bourse fut faite de la couille d'un éléphant que lui donna Herr Pracontal, proconsul de Libye.

Pour sa robe furent levées neuf mille six cents aunes moins deux tiers de velours bleu comme ci-dessus, tout faufilé d'or en figure diagonale, dont par juste perspective sortait une couleur innommée, telle que vous voyez aux cous des tourterelles, qui réjouissait merveilleusement les yeux des spectateurs.

Pour son bonnet furent levées trois cent deux aunes un quart de velours blanc, et fut sa forme large et ronde à la capacité de la tête : car son père disait que ces bonnets à la Marrabaise, faits comme une

Soudain qu'il fut né, ne cria comme les aultres enfants, Mies, Mies, Mies : mais, à haulte voix, s'escrioit : « A boire, à boire, à boire ! ». (LIVRE I, CHAPITRE VI.)

croûte de pâté, porteraient quelque jour malheur à leurs tondus.

Pour son plumet, il portait une belle grande plume bleue prise d'un onocrotale du pays de l'Hircanie sauvage, bien mignonnement pendant sur l'oreille droite.

Pour sa cocarde, il avait, en une platine d'or pesant soixante-huit marcs, une figure d'émail congruent, en laquelle était dessiné un corps humain ayant deux têtes, virées l'une vers l'autre, quatre bras, quatre pieds et deux culs, telle que dit Platon *in Symposio* avoir été l'humaine nature à son commencement mystique ; et autour était écrit en lettres ioniques : ΑΓΑΠΗ ΟΥ ΖΗΤΕΙ ΤΑ ΕΑΥΤΗΣ.

Pour porter au cou, il eut une chaîne d'or pesant vingt cinq mille soixante-trois marcs d'or, faite en forme de grosses baies, entre lesquelles étaient en œuvre de gros jaspes verts, sculptés et taillés en dragons, tout environnés de rais et étincelles, comme les portait jadis le roi Nécepsos, et elle descendait jusqu'à la bouche du

haut ventre, dont toute sa vie il eut le fonctionnement tel que savent les médecins grecs.

Pour ses gants furent mises en œuvre seize peaux de lutins, et trois de loups-garous pour leur broderie ; et ils lui furent faits de cette manière par l'ordonnance des cabalistes de Saint-Louand.

Pour ses anneaux, que son père voulut qu'il portât pour renouveler le signe antique de sa noblesse, il eut au doigt index de sa main gauche une escarboucle grosse comme un œuf d'autruche, enchâssée en or pur d'orient bien mignonnement. Au doigt médial il eut un anneau fait des quatre métaux ensemble, en la plus merveilleuse façon que jamais fût vue, sans que l'acier froissa l'or, sans que l'argent foulât le cuivre : le tout fut fait par le capitaine Chappuys et par Alcofribas, son bon facteur. Au doigt médial de la main droite, il eut un anneau fait en forme de spirale auquel était enchâssés un rubis en perfection, un diamant en pointe et une émeraude de Physon, de prix inestimable : car Hans Carvel, grand lapidaire du roi de Mélinde, les estimait à la valeur de soixante neuf millions huit cent quatre vingt quatorze mille dix huit moutons à la grande laine ; autant l'estimèrent les Fourques d'Augsbourg.

CHAPITRE IX

Les couleurs et livrée de Gargantua

Les couleurs de Gargantua furent blanc et bleu, comme ci-dessus vous l'avez pu lire, et par elles son père voulait qu'on entendît que ce lui était une joie céleste : car le blanc lui signifiait joie, plaisir, délices et réjouissances, et le bleu choses célestes.

J'entends bien qu'en lisant ces mots, vous vous moquez du vieux buveur et tenez l'exposition des couleurs par trop grossière et approximative ; et vous dites que blanc signifie foi et bleu fermeté. Mais,

sans vous émouvoir, courroucer, échauffer ni altérer — car le temps est dangereux — répondez-moi si bon vous semble. D'autre contrainte je n'userai envers vous ni d'autres, quels qu'ils soient ; seulement je vous dirai un mot de la bouteille.

— Qui vous meut ? Qui vous point ? Qui vous dit que blanc signifie foi et bleu fermeté ? Un piètre livre, dites-vous, qui se vend par les colporteurs et porte-balles, sous le titre : *Le Blason des Couleurs.* Qui l'a fait ? Quel qu'il soit, il a été prudent en ce qu'il n'y a point mis son nom. Mais, au reste, je ne sais quoi d'abord en lui je dois admirer, ou son outrecuidance ou sa bêtise : son outrecuidance, qui, sans raison, sans cause et sans apparence, a osé prescrire de son autorité privée quelles choses seraient dénotées par les couleurs, ce qui est l'usage des tyrans, qui veulent que leur arbitraire tienne lieu de raison, non des sages et savants qui, par raisons manifestes, contentent les lecteurs ; sa bêtise, qui a estimé que, sans autres démonstrations et arguments valables, le monde réglerait ses devises par ses impositions de noms badaudes.

Du fait — comme dit le proverbe : « A cul de foirard toujours abonde merde » — il a trouvé quelque reste de niaiserie du temps des hauts bonnets, lesquels ont eu foi en ses écrits, et, selon eux, ont taillé leurs apophtegmes et dits, en ont enchevêtré leurs mulets, brodé leurs gants, frangé leurs lits, peint leurs enseignes, composé des chansons, et, qui pis est, fait des impostures et de lâches tours clandestinement parmi les pudiques matrones.

En pareilles ténèbres sont compris ces glorieux de cour et transporteurs de noms, lesquels, voulant en leurs devises signifier *espoir*, font dessiner une *sphère*, des *pennes* d'oiseaux pour *peines*, de *l'ancolie* pour *mé-*

lancolie, la lune bicorne pour *vivre en croissant,* un *banc rompu* pour *banqueroute, non* et un *halecret* pour *non durabit,* un *lit sans ciel* pour un *licencié,* qui sont des homonymies si ineptes, si fades, si rustiques et barbares que l'on devrait attacher une queue de renard au collet et faire un masque de bouse de vache à chacun de ceux qui en voudraient dorénavant user en France, après la restauration des bonnes lettres.

Par mêmes raisons — si raisons je les dois nommer et non rêveries — ferais-je peindre un *panier* dénotant qu'on me fait *peiner,* et un *pot à moutarde,* que c'est mon cœur à qui *moult tarde ;* et un *pot à pisser,* c'est un *official ;* et *le fond de mes chausses,* c'est un *vaisseau de pets ;* et ma *braguette,* c'est le *greffe des arrêts* ; et un *étron de chien,* c'est un *tronc de céans* où gît l'amour de ma mie.

Bien autrement faisaient en temps jadis les sages d'Egypte, quand ils écrivaient par lettres qu'ils appelaient hiéroglyphes, lesquelles nul n'entendait qui n'entendît, et un chacun entendait qui entendît la vertu, propri té et nature des choses par elles figurées, dont Orus Apollon a en grec composé deux livres, et Polyphile *Au Songe d'Amour* en a davantage exposé. En France vous en avez quelque tronçon en la devise de M. l'Amiral, que porta, le premier, Octavien Auguste.

Mais plus outre ne fera voile mon esquif entre ces gouffres et gués mal plaisants : je retourne faire escale au port d'où je suis sorti. J'ai bon espoir d'en écrire quelque jour plus amplement et de montrer, tant par raisons philosophiques que par autorités reçues et approuvées de toute ancienneté, quelles et combien de couleurs sont en la nature, et ce qui, par chacune, peut être désigné, — Si Dieu me sauve le moule du bonnet : c'est le pot au vin, comme disait ma mère-grand.

CHAPITRE X

De ce qui est signifié par les couleurs blanc et bleu

Le blanc donc signifie joie, soulas et liesse, et le signifie non à tort, mais à bon droit et juste titre. Ce que vous pourrez vérifier, si, mises à part vos préférences, vous voulez entendre ce que présentement je vous exposerai.

Aristote dit que, supposant deux choses contraires en leur espèce, comme le bien et le mal, la vertu et le vice, le froid et le chaud, le blanc et le noir, la volupté et la douleur, la joie et le deuil, et ainsi d'autres, si vous les accouplez en telle façon qu'un contraire d'une espèce convienne raisonnablement à l'un contraire d'une autre, il est conséquent que l'autre s'assortisse avec l'autre résidu. Exemple : *vertu* et *vice* sont contraires en une espèce ; aussi sont *bien* et *mal* ; si l'un des contraires de la première espèce convient à l'un de la seconde comme *vertu* et *bien,* car il est su que *vertu* est bonne, ainsi feront les deux résidus qui sont *mal* et *vice,* car *vice* est mauvais.

Cette règle de logique entendue, prenez ces deux contraires : *joie* et *tristesse,* puis ces deux : *blanc* et *noir,* car ils sont contraires physiquement ; si ainsi donc que *noir* signifie *deuil,* à bon droit *blanc* signifie *joie.*

Et cette signification n'est pas instituée par la volonté d'un homme, mais reçue par ce consentement de tout le monde, que les philosophes nomment *jus gentium,* droit universel valable pour toutes contrées.

Comme vous savez assez que tous peuples, toutes nations — j'excepte les antiques Syracusains et quelques Argiens qui avaient l'âme de travers — toutes langues, voulant extérieurement montrer leur tristesse portent habit de noir, et que tout deuil est fait par noir. Lequel consentement noireux n'est pas fait sans que la nature n'en donne quelque argument et raison, laquelle chacun peut soudain par soi-même comprendre sans autrement être instruit de personne, et que nous appelons droit naturel.

Par le blanc, avec même induction de nature, tout le monde a entendu joie, liesse, soulas, plaisir et délectation.

Au temps passé, les Thraces et Crétois marquaient les jours bien fortunés et joyeux de pierres blanches, les tristes et infortunés de noires.

La nuit n'est-elle pas funeste, triste et mélancolique ? Elle est noire et obscure par privation. La clarté ne réjouit-elle pas toute la nature ? Elle est blanche plus que chose qui soit. Pour ce prouver, je vous pourrais renvoyer un livre de Laurent Valla contre Bartole ; mais le témoignage évangélique vous contentera : en Matthieu, chapitre XVII, il est dit qu'à la transfiguration de Notre Seigneur, *vestimenta ejus facta sunt alba sicut lux,* « ses vêtements furent faits blancs comme la lumière », par laquelle blancheur lumineuse il donnait à entendre à ses trois apôtres l'idée et la figure des joies éternelles : car par la clarté sont tous humains réjouis, comme vous avez le dit d'une vieille qui n'avait dents en gueule, encore disait-elle : « *Bona lux !* » Et Tobie, chapitre V, quand il eut perdu la vue, lorsque Raphaël le salua, répondit : « Quelle joie pourrais-je avoir, moi qui point ne vois la lumière du ciel ? » En telle couleur témoignèrent les anges la joie de tout l'univers à la Résurrection du Sauveur, *Jean, XX,* et à son Ascension, *Actes, I.* De semblable parure vit saint Jean L'Evangéliste, *Apocalypse IV et VII,* les fidèles vêtus en la céleste et béatifiée Jérusalem.

Lisez les histoires antiques, tant grecques que romaines, vous trouverez que la ville d'Albe, premier modèle de Rome, fut et construite et appelée à la rencontre d'une truie blanche.

Vous trouverez que, si à aucun, après avoir eu sur les ennemis victoire, il était décrété qu'il entrât à Rome en état triomphant, il y entrait sur un char tiré par chevaux blancs ; de même celui qui y entrait en ovation : car par autre signe ni couleur on ne pouvait plus certainement exprimer la joie de leur venue que par la blancheur.

Vous trouverez que Périclès, duc des Athéniens, voulut que cette partie de ses gens d'armes, auxquels par le sort étaient advenues les fèves blanches, passât toute la journée en joie, soulas et repos, cependant que ceux de l'autre partie batailleraient.

Je pourrais vous exposer mille autres exemples et passages à ce propos, mais ce n'est ici le lieu.

Moyennant cette explication vous pouvez résoudre un problème, qu'Alexandre d'Aphrodisias a jugé insoluble : « Pourquoi le lion, qui de son seul cri et rugissement épouvante tous les animaux, craint-il et révère-t-il seulement le coq blanc ? » Car, ainsi que dit Proclus, *lib. De Sacrificio et Magia,* c'est parce que la présence de la vertu du soleil, qui est l'organe et propulsion de toute lumière terrestre et sidérale, est plus symbolisante et séante au coq blanc, tant pour cette couleur que pour sa propriété et ordre spécifique, qu'au lion. Il dit de plus qu'en forme léonine ont été souvent vus des diables, lesquels à la présence d'un coq blanc soudainement ont disparu.

C'est la cause pour laquelle *Galli* — ce sont les Fran-

çais, ainsi appelés parce qu'ils sont blancs naturellement comme du lait, que les Grecs nomment *gala* — volontiers portent les plumes blanches sur leurs bonnets : car par nature ils sont joyeux, candides, gracieux et bien aimés, et pour leur symbole et enseigne ils ont la fleur plus que nulle autre blanche : c'est le lis.

Si vous demandez comment, par la couleur blanche, Nature nous induit à entendre joie et liesse, je vous réponds que l'analogie en conformité est telle. Car, comme le blanc extérieurement divise et disperse la vue, dissolvant manifestement les esprits visuels, selon l'opinion d'Aristote en ses *Problèmes*, et les perspectives — et vous le voyez par expérience quand vous passez les monts couverts de neige, en sorte que vous vous plaignez de ne pouvoir bien regarder, ainsi que Xénophon l'expose amplement, *lib. X De usu partium* — ; tout ainsi le cœur par joie excellente est intérieurement épars et souffre une dissolution manifeste des esprits vitaux, laquelle peut être si accrue que le cœur demeurerait spolié de son entretien, et que par conséquent la vie serait éteinte par cette joie débordante, comme dit Galien. *Méthod., lib. XII, De locis affectis, lib. V*, et *De symptomaton causis, lib. II*, et comme au temps passé témoignent Marc Tulle, *lib. I. Quœstio Tuscul.*, Verrius, Aristote, Tite-Live, qu'il est advenu, après la bataille de Cannes, Pline, *lib. VII, chap. XXXII, et LIII*, Aulu-Gelle, *lib. III, XV et autres*, à Diagoras de Rhodes, Chilon, Sophocle, Denys, tyran de Sicile, Philippide, Polycrate, Philistion, Marcus Juventus et autres qui moururent de joie, et comme dit Avicenne, *in II canone et lib. De viribus cordis*, à propos de safran, lequel réjouit tant le cœur qu'il le dépouille de vie, si on en prend en dose excessive, par dissolution et dilatation superflue. Ici voyez Alexandre d'Aphrodisias, *lib. primo Problematum, c. XIX*. C.Q.F.D.

Mais quoi ! j'entre plus avant en cette matière que je me le proposais au commencement. Ici donc je calerai mes voiles, remettant le reste au livre achevé tout à fait sur ce sujet, et dirai en un mot que le bleu signifie aisément le ciel et les choses célestes, par les mêmes symboles que le blanc signifiait joie et plaisir.

CHAPITRE XI

De l'adolescence de Gargantua

Gargantua, depuis trois jusqu'à cinq ans, fut nourri et instruit en toute discipline convenable par le commandement de son père, et il passa ce temps comme

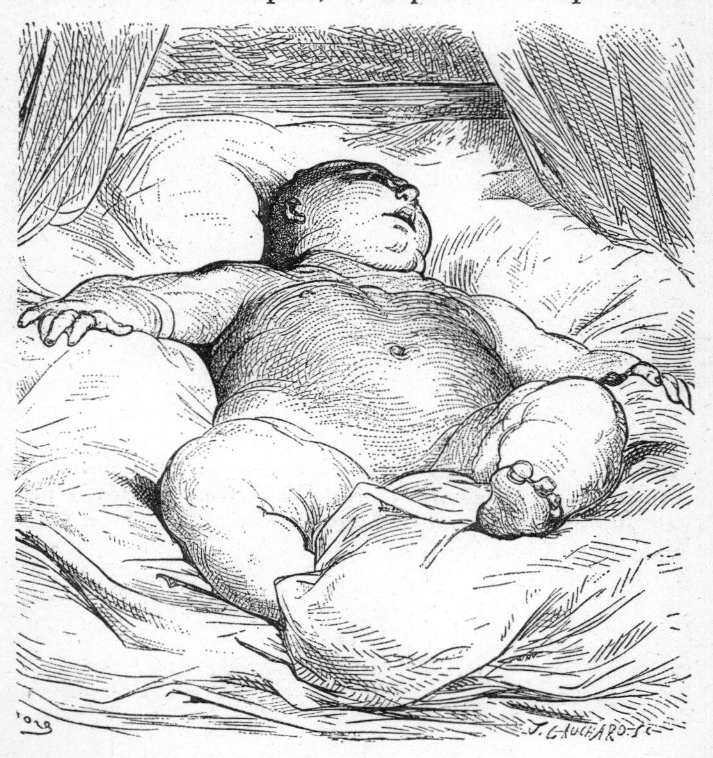

les petits enfants du pays : c'est à savoir à boire, manger et dormir ; à manger, dormir et boire ; à dormir, boire et manger.

Toujours il se vautrait par les fanges, se noircissait le nez, se barbouillait le visage, éculait ses souliers, bayait souvent aux mouches, et courant volontiers après les parpaillots, dont son père tenait l'empire.

Il pissait sur ses souliers, il chiait en sa chemise, il se mouchait à ses manches, il morvait dedans sa soupe, et patrouillait par tous lieux, et buvait en sa pantoufle, et se frottait ordinairement le ventre d'un panier. Il aiguisait ses dents d'un sabot, lavait ses mains de potage, se peignait d'un gobelet, s'asseyait entre deux selles, le cul à terre, se couvrait d'un sac mouillé, buvait en mangeant sa soupe, mangeait sa fouace sans pain, mordait en riant, riait en mordant, souvent crachait au bassin, pétait de graisse, pissait contre le soleil, se cachait en l'eau pour la pluie, battait à froid, songeait creux, faisait le sucré, écorchait le renard, disait la patenôtre du singe, retournait à ses moutons, tournait les truies au foin, battait le chien devant le lion, mettait la charrette devant les bœufs, se grattait où il ne lui démangeait point, tirait les vers du nez, trop embrassait et peu étreignait, mangeait son pain blanc le premier, ferrait les cigales, se chatouillait pour se faire rire, se ruait très bien en cuisine, faisait gerbe de paille aux dieux, faisait chanter *Magnificat* à matines et le trouvait bien à propos, mangeait choux et chiait poirée, connaissait mouches en lait, faisait perdre les pieds aux mouches, barbouillait le parchemin, gagnait au pied, tirait au chevrotin, comptait sans son hôte, battait les buissons sans prendre les oisillons, croyait que nues fussent poêle d'airain et que vessies fussent lanternes, tirait d'un sac deux moutures, faisait l'âne pour avoir du son, de son poing faisait un maillet, prenait les grues du premier saut, ne voulait pas que maille à maille on fît les hauberts, de cheval donné toujours regardait en la gueule, sautait du coq à l'âne, mettait entre deux vertes une mûre, faisait de la terre le fossé, gardait la lune des loups, si les nues tombaient espérait prendre les alouettes, faisait de nécessité vertu, faisait de tel pain soupe, se souciait aussi peu des rasés que des tondus, tous les matins écorchait le renard.

Les petits chiens de son père mangeaient en son écuelle ; lui de même mangeait avec eux. Il leur mordait les oreilles, ils lui grafignaient le nez ; il leur soufflait au cul, ils lui léchaient les badigoinces.

Et savez-vous, mes gars ? Que le mal du tonneau vous tourmente ! Ce petit paillard toujours bâtonnait ses gouvernantes c'en dessus dessous, c'en devant derrière, harri bourriquet ! Et déjà il commençait à exercer sa braguette, laquelle, chaque jour, ses gouvernantes ornaient de beaux rubans, de belles fleurs, de beaux flocs ; et elles perdaient leur temps à la faire revenir entre leurs mains, comme un rouleau d'emplâtre, puis s'esclaffaient de rire quand elle levait les oreilles, comme si le jeu leur eût plu.

L'une la nommait ma petite dille, l'autre ma pine, l'autre ma branche de corail, l'autre mon boudou, mon bouchon, mon vilebrequin, mon poisson, ma tarière, ma pendeloque, mon rude ébat roide et bas, mon dressoir, ma petite andouille vermeille, ma petite couille bredouille :

« Elle est à moi, disait l'une.

— C'est la mienne, disait l'autre.

— Moi, disait l'autre, n'y aurai-je rien ? Par ma foi, je la couperai donc.

— Ha ! couper ! disait l'autre, vous lui feriez mal, madame ; coupez-vous la chose aux enfants ? Il serait Monsieur sans queue. »

Et, pour s'ébattre comme les petits enfants du pays, elles lui firent un beau virolet des ailes d'un moulin à vent du Mirebalais.

CHAPITRE XII

Des chevaux factices de Gargantua

Puis, afin que toute sa vie il fût bon cavalier, l'on lui fit un bon grand cheval de bois, lequel il faisait gambader, sauter, voltiger, ruer et danser tout ensemble, aller le pas, le trot, l'entrepas, le galop, les ambles, l'áublin, le traquenard, le carmelin et l'onagrier. Et il lui faisait changer de poil, comme font les moines de dalmatiques, selon les fêtes ; de bai brun, d'alezan, de gris pommelé, de poil de rat, de cerf, de rouan, de vache, de zencle, de bigarré, de pie, de blanc.

Lui-même d'une grosse poutre fit un cheval pour la chasse, un autre d'un fût de pressoir pour tous les jours, et d'un grand chêne une mule avec la housse pour la chambre. Encore en eut-il dix ou douze à relais, et sept pour la poste, et il les mettait tous coucher auprès de soi.

Un jour, le seigneur de Painensac visita son père en gros train et apparat, auquel jour l'étaient semblablement venus voir le duc de Francrepas et le comte de Mouillevent. Par ma foi ! le logis fut un peu étroit pour tant de gens, et singulièrement les étables. Donc le maître d'hôtel et fourrier du dit seigneur de Painensac, pour savoir si ailleurs en la maison il était des étables vacantes, s'adressèrent à Gargantua, jeune garçonnet, lui demandant secrètement où étaient les étables des grands chevaux, pensant que volontiers les enfants décèlent tout.

Alors il les mena par le grand escalier du château, passant par la seconde salle en une grande galerie, par laquelle ils entrèrent en une grosse tour, et, eux montant par d'autres degrés, le fourrier dit au maître d'hôtel : « Cet enfant nous abuse, car les étables ne sont jamais en haut de la maison.

— C'est, dit le maître d'hôtel, mal entendu à vous, car je sais des lieux à Lyon, à la Baumette, à Chinon et ailleurs, où les étables sont au plus haut du logis ;

ainsi peut-être que derrière il y a issue au montoir. Mais je le demanderai plus sûrement. »

Alors il demanda à Gargantua :

« Mon petit mignon, où nous menez-vous ?

— A l'étable, dit-il, de mes grands chevaux. Nous y sommes tantôt ; montons seulement ces échelons. »

Puis les faisant passer par une autre grande salle, il les mena en sa chambre, et, retirant la porte : « Voici, dit-il, les étables que vous demandez ; voilà mon genêt, voilà mon hongre, mon lavedan, mon traquenard. » Et les chargeant d'un gros levier : « Je vous donne, dit-il, ce frison ; je l'ai eu à Francfort, mais il sera vôtre ; c'est un bon petit chevalet, et de grande peine ; avec un tiercelet d'autour, une demi-douzaine d'épagneuls et deux lévriers, vous voilà roi des perdrix et lièvres pour tout cet hiver.

— Par saint Jean, dirent-ils, nous en sommes bien ! A cette heure nous avons le moine.

— Je vous le nie, dit-il, il ne fut pas trois jours céans. »

Devinez ici duquel des deux ils avaient plus matière, ou de se cacher pour leur honte ou de rire pour le passe-temps ?

Eux, de ce pas, descendant tout confus, il demanda :

« Voulez-vous une aubellière ?

— Qu'est-ce ? dirent-ils.

— Ce sont, répondit-il, cinq étrons pour vous faire une muselière.

— Pour ce jourd'hui, dit le maître d'hôtel, si nous sommes rôtis, jamais au feu ne brûlerons, car nous sommes lardés à point, à mon avis. O petit mignon, tu nous as baillé foin en corne : je te verrai quelque jour pape.

— Je l'entends, dit-il, ainsi ; mais alors vous serez papillon, et ce gentil perroquet sera un papelard tout fait.

— Voire, voire, dit le fourrier.

— Mais, dit Gargantua, devinez combien il y a de points d'aiguille en la chemise de ma mère ?

— Seize, dit le fourrier.

— Vous, ne dites pas l'Evangile, dit Gargantua, car il y en a sens devant et sens derrière, et vous les comptâtes trop mal.

— Quand ? dit le fourrier.

— Alors, dit Gargantua, qu'on fit de votre nez une dille pour tirer un muid de merde, et de votre gorge un entonnoir pour la mettre en un autre vase, car les fonds étaient éventés.

— Cordieu ! dit le maître d'hôtel, nous avons trouvé un causeur. Monsieur le jaseur, Dieu vous garde de mal, tant vous avez la bouche fraîche. »

Ainsi descendant à grande hâte, ils laissèrent tomber sous l'arceau des degrés le gros levier dont il les avait chargés, ce qui fit dire à Gargantua :

« Que diantre ! vous êtes mauvais chevaucheurs. Votre courtaud vous manque dans le besoin. S'il vous fallait aller d'ici à Cahusac, qu'aimeriez-vous mieux, chevaucher un oison ou mener une truie en laisse ?

— J'aimerais mieux boire. » dit le fourrier.

Et, ce disant, ils entrèrent dans la salle basse où était toute la brigade, et, racontant cette nouvelle histoire, ils les firent rire comme un tas de mouches.

CHAPITRE XIII

Comment Grandgousier connut l'esprit merveilleux de Gargantua à l'invention d'un torchecul

Sur la fin de la cinquième année, Grandgousier retournant de la défaite des Canarriens, visita son fils Gargantua. Là, il fut réjoui comme un tel père pouvait l'être en voyant un sien tel enfant, et, le baisant et l'accolant, il l'interrogeait de petits propos puérils en diverses sortes. Et il but d'autant avec lui et ses gouvernantes, auxquelles, par grand soin, il demandait, entre autres cas, si elles l'avaient tenu blanc et net. A cela, Gargantua fit réponse qu'il y avait donné tel ordre qu'en tout le pays il n'était garçon plus net que lui.

« Comment cela ? dit Grangousier.

— J'ai, répondit Gargantua, par longue et curieuse expérience, inventé un moyen de me torcher le cul, le plus royal, le plus seigneurial, le plus excellent, le plus expédient qui jamais fut vu.

— Lequel ? dit Grandgousier.

— Comme je vous le raconterai, dit Gargantua, présentement. Je me torchai une fois d'un cache-nez de velours d'une demoiselle, et le trouvai bon, car la mollesse de sa soie me causait au fondement une volupté bien grande. Une autre fois, d'un chaperon d'icelle, et il en fut de même. Une autre fois, d'une cache-cou. Une autre fois, avec des oreillettes de satin cramoisi, mais la dorure d'un tas de sphères de merde qui y étaient m'écorchèrent dout le derrière. Que le feu de

saint Antoine brûle le boyau culier de l'orfèvre qui les fit et de la demoiselle qui les portait. Ce mal passa en me torchant d'un bonnet de page bien emplumé à la Suisse.

» Puis, fientant derrière un buisson, je trouvai un chat de Mars, de celui-ci je me torchai mais ses griffes m'exulcérèrent tout le périnée. De cela je me guéris le lendemain, en me torchant des gants de ma mère, bien parfumés de maujoin.

» Puis je me torchai de sauge, de fenouil, d'aneth, de marjolaine, de roses, de feuilles de courge, de choux, de bettes, de pampre, de guimauve, de bouillon-blanc, qui est écarlate de cul, de laitues et de feuilles d'épinards (le tout me fit grand bien à ma jambe), de mercuriale, de persicaire, d'orties, de consoude ; mais j'en eus la caquesangue de Lombard, dont je fus guéri en me torchant de ma braguette.

» Puis je me torchai aux draps, à la couverture,

aux rideaux, d'un coussin, d'un tapis, d'une nappe, d'une serviette, d'un mouche-nez, d'un peignoir. En tout je trouvai plus de plaisir que n'ont les rogneux quand on les étrille.

— Voire ! mais, dit Grandgousier, quel torchecul trouves-tu le meilleur ?

— J'y étais, dit Gargantua, et bientôt vous en saurez le *tu autem*. Je me torchai de foin, de paille, d'étoupe, de bourre, de laine, de papier. Mais

Toujours laisse aux couillons émorche
Qui son ord cul de papier torche.

— Quoi ! dit Grandgousier, mon petit couillon, as-tu pris au pot, vu que tu rimes déjà ?

— Oui-da, répondit Gargantua, mon roi, je rime tant et plus, et en rimant, souvent je m'enrime. Ecoutez ce que dit notre retrait aux fienteurs :

Chiard,
Foirard,
Pétard,
Brenous,
Ton lard,
Chappard,
S'épart,
Sur nous,
Ordous,
Merdous,
Egous,
Le feu de saint Antoine t'ard,
Si tous
Tes trous
Eclous
Ne torches avant ton départ.

» En voulez-vous davantage ?

— Oui-da, répondit Grandgousier.

— A donc, dit Gargantua :

Rondeau

En chiant, l'autre hier, senti
La gabelle qu'à mon cul dois ;
L'odeur fut autre que cuidois ;
J'en fus du tout empuanti.
Oh ! si quelqu'un eût consenti
M'amener une qu'attendais
En chiant !

Car je lui eusse acimenti
Son trou d'urine à mon lourdois ;
Cependant eût avec ses doigts
Mon trou de merde garanti
En chiant !

» Or, dites maintenant que je n'y sais rien. Par la mère de Dieu, je ne les ai pas faits ; mais en les entendant réciter à une grande dame que vous voyez ici, je les ai retenu en la gibecière de ma mémoire.

— Retournons, dit Grandgousier, à notre propos.

— Lequel ? dit Gargantua, chier ?

— Non, dit Grangousier, mais torcher le cul.

— Mais, dit Gargantua, voulez-vous payer un tonneau de vin breton si je vous fait quinaud en ce propos ?

— Oui vraiment, dit Grandgousier.

— Il n'est, dit Gargantua, point besoin de torcher le cul, sinon qu'il n'y ait ordure ; ordure n'y peut être, si on n'a chié : chier donc il nous faut avant que le cul torcher.

— Oh ! dit Grandgousier, que tu as de bon sens, petit garçonnet ! Ces premiers jours, je te ferai passer docteur en Sorbonne, pardieu ! car tu as plus de raison que d'âge. Or, poursuis ce propos torcheculatif, je t'en prie, et, par ma barbe, pour un tonneau tu auras soixante pipes, j'entends de ce bon vin breton, lequel point ne croît en Bretagne, mais en ce bon pays de Vernon.

— Je me torchai après, dit Gargantua, d'un couvre-chef, d'un oreiller, d'une pantoufle, d'une gibecière, d'un panier — mais oh ! le malplaisant torchecul ! — puis d'un chapeau. Et notez que des chapeaux les uns sont ras, les autres à poil, les autres veloutés, les autres taffetassés, les autres satinés. Le meilleur de tous est celui de poil, car il fait très bonne abstersion de la matière fécale.

» Puis je me torchai d'une poule, d'un coq, d'un poulet, de la peau d'un veau, d'un lièvre, d'un pigeon, d'un cormoran, d'un sac d'avocat, d'un capuchon, d'une coiffe, d'un leurre.

» Mais, concluant, je dis et maintiens qu'il n'y a tel torchecul que d'un oison bien duveté, pourvu qu'on lui tienne la tête entre les jambes. Et m'en croyez sur mon honneur, car vous sentez au trou du cul une volupté mirifique, tant par la douceur de ce duvet que par la chaleur tempérée de l'oison, laquelle facilement est communiquée au boyau culier et autres intestins, jusqu'à venir à la région du cœur et du cerveau.

» Et ne pensez pas que la béatitude des héros et demi-dieux qui sont par les Champs-Elysées soit en leur asphodèle, ou ambroisie, ou nectar, comme disent les vieilles d'ici ; elle est, selon mon opinion en ce qu'ils se torchent le cul d'un oison, et telle est l'opinion de maître Jean d'Ecosse. »

CHAPITRE XIV

Comment Gargantua fut instruit par un théologien en lettres latines

Ces propos entendus, le bonhomme Grandgousier fut ravi en admiration, considérant le haut sens et merveilleux entendement de son fils Gargantua, et il dit à ses gouvernantes :

« Philippe, roi de Macédoine, connut le bon sens de son fils Alexandre à manier dextrement un cheval, car le dit cheval était si terrible et effréné que nul n'osait monter dessus, parce qu'à tous ses chevaucheurs il baillait la saccade, à l'un rompant le cou, à l'autre les jambes, à l'autre la cervelle, à l'autre les mandibules. Ce que considérant, Alexandre en l'hippodrome — qui était le lieu où l'on promenait et faisait voltiger les chevaux — s'avisa que la fureur du cheval ne venait que de la frayeur qu'il prenait de son ombre, donc, montant dessus, le fit courir contre le soleil, si bien que l'ombre tombait par derrière, et, par ce moyen, il rendit le cheval doux à son vouloir. A quoi connut son père le divin entendement qui était en lui, et le fit très bien endoctriner par Aristote, qui

pour lors était estimé sur tous les philosophes de Grèce.

» Mais je vous dis qu'en ce seul propos, que j'ai présentement devant vous tenu à mon fils Gargantua, je connais que son entendement participe de quelque divinité, tant je le vois aigu, subtil, profond et serein, et il parviendra à un degré souverain de sapience, s'il est bien instruit. C'est pourquoi je veux le bailler à quelque homme savant pour l'endoctriner selon sa capacité et je n'y veux rien épargner. »

De fait, l'on lui enseigna un grand docteur en théologie, nommé maître Thubal Holopherne, qui lui apprit son abécé, si bien qu'il le disait par cœur à rebours, et il y fut cinq ans et trois mois. Puis il lui lut Donat, *le Facet,* Théodolet et Alanus, *in Parabolis,* et y fut treize ans, six mois et deux semaines.

Mais notez que, cependant, il lui apprenait à écrire

gothiquement et écrivait tous ses livres, car l'art d'impression n'était pas encore en usage.

Et il portait ordinairement un gros écritoire, pesant plus de sept mille quintaux, duquel l'étui à plumes était aussi gros et grand que les gros piliers d'Ainay, et l'encrier y pendait à grosses chaînes de fer, de la capacité d'un tonneau de marchandise.

Puis il lui lut *De modis significandi,* avec les commen-

taires de Heurtebise, de Faquin, de Tropditeux, de Gualehaut, de Jean le Veau, de Billonio, Brelinguandus, et un tas d'autres ; et y fut de dix-huit ans et onze mois. Et le sut si bien qu'à l'épreuve il le récitait par cœur à l'envers, et prouvait sur ses doigts à sa mère que *de modis significandi non erat scientia.*

Puis il lut *le Compost,* où il fut bien seize ans et deux mois, lorsque son dit précepteur mourut,

> *Et fut l'an mil quatre cent vingt*
> *De la vérole qui lui vint.*

Après, il en eut un autre vieux, tousseux, nommé maître Jobelin Bridé, qui lui lut Hugutio, Hébrard,

Grécisme, le *Doctrinal,* les *Pars,* le *Quid est,* le *Supplementum,* Marmotret, *de Moribus in mensa servandis,* Seneca, *de Quatuor virtutibus cardinalibus,* Passavantus *cum Commento,* et *Dormi secura* pour les fêtes, et quelques autres de semblable farine, à la lecture desquels il devint aussi sage qu'oncques depuis nous n'en enfournâmes.

CHAPITRE XV

Comment Gargantua fut mis sous d'autres pédagogues

Alors son père s'aperçut que vraiment il étudiait très bien et y mettait tout son temps, toutefois qu'en rien il ne profitait, et, qui pis est, en devenait fou, niais, tout rêveur et assoti.

De quoi se complaignant à don Philippe des Marais, vice-roi de Papeligosse, il entendit que mieux lui vaudrait rien n'apprendre qu'apprendre de tels livres, sous tels précepteurs, car leur savoir n'est que bêterie, et leur sapience que mitaines, abâtardissant les bons et nobles esprits et corrompant toute fleur de jeunesse. « Qu'ainsi soit, prenez, dit-il, quelqu'un de ces jeunes gens du temps présent qui ait seulement étudié deux ans. En cas qu'il n'ait meilleurs propos que votre fils, et meilleur entretien et honnêteté d'entre le monde, réputez-moi à jamais un taillebacon de la Brenne. »

Ce qui à Grandgousier plut très bien, et il commanda qu'ainsi fût fait.

Au soir, en soupant, le dit Des Marais introduit un sien jeune page de Villegongis, nommé Eudémon, tant bien coiffé, tant bien tiré, tant bien épousseté, tant honnête en son maintien qu'il ressemblait beaucoup plus à quelque petit angelot qu'à un homme.

Puis il dit à Grandgousier :

« Voyez-vous ce jeune enfant ? il n'a pas encore douze ans ; voyez, si bon vous semble, quelle différence il y a entre le savoir de vos rêveurs diseurs de sornettes du temps jadis et les jeunes gens de maintenant. »

L'essai plut à Grandgousier, et il commanda que le page démontrât.

Alors Eudémon, demandant permission de ce faire au dit vice-roi son maître, le bonnet au poing, la face ouverte, la bouche vermeille, les yeux assurés, et le regard assis sur Gargantua avec une modestie juvénile,

se tint sur ses pieds et commença à le louer et magni-
fier, premièrement de ses vertus et bonnes mœurs, secon-

dement de son savoir, troisièmement de sa noblesse, quatrièmement de sa beauté corporelle, et pour le cinquième, doucement l'exhortait à révérer son père en toute considération, lequel s'ingéniait tant à bien le faire instruire ; enfin il le priait qu'il le voulût retenir pour le moindre de ses serviteurs, car pour le présent il ne requérait des cieux d'autre don, sinon qu'il lui fût fait grâce de lui complaire en quelque service agréable.

Le tout fut par lui proféré avec gestes tant propres, prononciation tant distincte, voix tant éloquente, et langage tant orné et bien latin, qu'il ressemblait plus à un Gracchus, un Cicéron ou un Emilius du temps passé qu'à un jouvenceau de ce siècle. Mais toute la contenance de Gargantua fut qu'il se prit à pleurer comme une vache, et se cachait le visage de son bonnet ; et il ne fut possible de tirer de lui une parole, non plus qu'un pet d'un âne mort, — ce dont son père fut tant courroucé qu'il voulut occire maître Jobelin. Mais le dit Des Marais l'en garda par belle remontrance qu'il lui fit, de manière que sa colère fût modérée. Puis il commanda qu'il fût payé de ses gages et qu'on le fît bien chopiner sophistiquement ; cela fait, qu'il allât à tous les diables :

« Au moins, disait-il, pour aujourd'hui, ne coûtera-t-il guère à son hôte, si d'aventure il mourait ainsi, saoul comme un Anglais. »

Maître Jobelin parti de la maison, il consulta Grandgousier avec le vice-roi pour savoir quel précepteur l'on pourrait lui donner, et il fut avisé entre eux qu'à cet office serait mis Ponocrate, pédagogue d'Eudémon, et que tous ensemble iraient à Paris pour connaître quelle était l'étude des jouvenceaux de France pour ce temps-ci.

CHAPITRE XVI

Comment Gargantua fut envoyé à Paris et de l'énorme jument qui le porta, et comment elle défit les mouches bovines de la Beauce

En cette même saison, Fayoles, quatrième roi de Numidie, envoya du pays d'Afrique à Grandgousier une jument, la plus énorme et la plus grande qui fut jamais vue : comme vous le savez assez, l'Afrique apporte toujours quelque chose de nouveau. Car elle était grande comme six éléphants, et elle avait les pieds fendus en doigts comme le cheval de Jules César, les oreilles pendantes comme les chèvres de Languedoc et une petit corne au cul. Pour le reste, elle avait poil d'alezan brûlé, entreillissé de grises pommelettes ; mais surtout elle avait la queue horrible, car elle était un peu plus ou un peu moins grosse que la pile de Saint-Mars, auprès de Langès, et carrée comme elle, avec les poils ni plus ni moins anicrochés que sont les épis au blé.

Si de cela vous vous émerveillez, émerveillez-vous davantage de la queue des bêliers de Scythie, qui pesait plus de trente livres et des moutons de Syrie, auxquels il faut (si Tenaud dit vrai) ajuster une charrette au cul pour la porter, tant elle est longue et pesante. Vous ne l'avez pas telle, vous autres paillards de plats pays ! Et elle fut amenée par mer en trois caraques et un brigantin, jusqu'au port d'Olonne en Talmondois.

Lorsque Grandgousier la vit :

« Voici bien le cas, dit-il, de porter mon fils à Paris. Or çà, de par Dieu, tout ira bien. Il sera grand clerc au temps à venir. Si ce n'étaient messieurs les bêtes, nous vivrions comme clercs. »

Au lendemain, après boire, comme vous l'entendez, prirent chemin Gargantua, son précepteur Ponocrate et ses gens, ainsi qu'Eudémon, le jeune page. Et parce que c'était un temps serein et bien tempéré, son père lui fit faire des bottes fauves : Babin les nomme brodequins. Ainsi joyeusement ils passèrent leur grand chemin, faisant toujours grand'chère, jusqu'au-dessus d'Orléans, auquel lieu était une ample forêt, de la longueur de trente-cinq lieues, et de largeur dix-sept ou environ.

Elle était horriblement fertile et copieuse en mouches bovines et frelons, de sorte que c'était une vraie briganderie pour les pauvres juments, ânes et chevaux. Mais la jument de Gargantua vengea honnêtement tous les outrages ici perpétrés sur les bêtes de son espèce, par un tour dont elles ne se doutaient guère. Car, aussitôt qu'ils furent entrés en la dite forêt et que les frelons lui eurent livré l'assaut, elle dégaina sa queue, et si bien s'escarmouchant les émoucha qu'elle en abattit par tout le bois. A tort et à travers, de çà de là, par-ci par-là, de long et de large, dessus dessous, elle abattait bois comme un faucheur fait des herbes, en sorte que depuis il n'y eut ni bois ni frelons, mais que tout le pays fut réduit en campagne.

Ce que voyant, Gargantua prit un bien grand plaisir, sans autrement s'en vanter, et dit à ses gens : « Je trouve *beau ce* », d'où ce pays fut depuis appelé la Beauce.

Mais tout leur déjeuner se passa à bâiller, en mémoire de quoi, encore à présent, les gentilshommes de Beauce déjeunent de bâiller et s'en trouvent fort bien et n'en crachent que mieux.

Finalement ils arrivèrent à Paris, auquel lieu il se rafraîchit deux ou trois jours, faisant chère lie avec ses gens, et s'enquérant quels gens savants étaient pour lors en la ville et quel vin on y buvait.

CHAPITRE XVII

Comment Gargantua paya sa bienvenue aux Parisiens et comment il prit les grosses cloches de l'église Notre-Dame

Quelques jours après qu'ils se furent rafraîchis, il visita la ville, et fut vu de tout le monde en grande admiration, car le peuple de Paris est tant sot, tant badaud et tant inepte de nature qu'un bateleur, un porteur de rogatons, un mulet avec ses sonnettes, un vielleux au milieu d'un carrefour, assemblera plus de gens que ne ferait un bon prêcheur de l'Evangile. Et tant importunément elles le poursuivaient qu'il fut contraint de se reposer sur les tours de l'église Notre-Dame, auquel lieu étant et voyant tant de gens à l'entour de soi, il dit clairement :

« Je crois que ces maroufles veulent que je leur paye ici ma bienvenue et mon droit d'entrée. C'est raison. Je vais leur donner le vin mais ce ne sera que par ris. »

Lors, en souriant, détacha sa belle braguette, et, tirant sa mentule en l'air, les compissa si aigrement qu'il en noya deux cent soixante mille quatre cent dix-huit, sans les femmes et petits enfants.

Un certain nombre d'entre eux échappa à ce pissefort grâce à la légèreté de leurs pieds, et quand ils furent au plus haut de l'Université, suant, toussant, crachant et hors d'haleine, ils commencèrent à renier et à jurer, les uns en colère, les autres pour rire : « Carimari, Carimara ! Par sainte Mamie, nous sommes baignés *par ris* », ce dont fut depuis la ville nommée Paris, laquelle auparavant on appelait Leucèce, comme dit Strabon, *lib. IV*, c'est-à-dire en grec Blanchette, pour les blanches cuisses des dames du dit lieu.

Et par autant que celle nouvelle imposition du nom, tous les assistants jurèrent chacun les saints de sa paroisse, les Parisiens, qui sont faits de toutes gens et

de toutes pièces, sont par nature et bons jureurs et bons juristes, et quelque peu outrecuidants, dont estime Joaninus de Barranco, *libro de Copiositate reverentia-*

rum, que sont dits Parrhésiens en langue grecque, c'est-à-dire fiers en parler.

Cela fait, il considéra les grosses cloches qui étaient aux dites tours et les fit sonner, bien harmonieusement. Ce que faisant, il lui vint en pensée qu'elles serviraient bien de clochettes au cou de sa jument, laquelle il voulait renvoyer à son père, toute chargée de fromages de Brie et de harengs frais. De fait il les emporta en son logis.

Cependant vint un commandeur jambonnier de saint-Antoine pour faire sa quête de cochon, lequel, pour se faire entendre de loin et faire trembler le lard au charnier, les voulut emporter furtivement, mais par honnêteté il les laissa, non parce qu'elles étaient trop chaudes, mais parce qu'elles étaient quelque peu trop pesantes à la portée. Ce ne fut pas celui de Bourg, car il est trop de mes amis.

Toute la ville fut émue en sédition, ce à quoi, comme vous savez, ils sont tant faciles que les nations étrangères s'ébahissent de la patience des rois de France, lesquels autrement par bonne justice ne les refrènent, vu les inconvénients qui en sortent de jour en jour. Plût à Dieu que je susse l'officine en laquelle sont forgés ces schismes et séditions, pour les mettre en évidence aux confréries de ma paroisse ! Croyez que le lieu auquel se rassemble le peuple, tout affolé et ahuri, fut Nesle où alors était, maintenant n'est plus, l'oracle de Leucèce. Là fut proposé le cas, et remontré l'inconvénient des cloches transportées.

Après avoir bien ergoté *pro et contra*, il fut conclu en *baralipton* que l'on enverrait le plus vieux et suffisant de la Faculté vers Gargantua, pour lui remontrer l'horrible inconvénient de la perte de ces cloches.

Et, nonobstant la remontrance d'aucuns de l'Université, qui alléguaient que cette charge convenait mieux à un orateur qu'à un sophiste, fut pour cette affaire élu notre maître Janotus de Bragmardo.

CHAPITRE XVIII

Comment Janotus de Bragmardo fut envoyé pour recouvrer de Gargantua les grosses cloches

Maître Janotus, tondu à la césarine, vêtu de son lyripipion à l'antique et l'estomac bien antidoté de

cotignac de four et eau bénite de cave, se transporta au logis de Gargantua, touchant devant soi trois vedeaux à rouge museau, et traînant après cinq ou six maîtres inertes, bien crottés à profit de ménage.

A l'entrée Ponocrate les rencontra, et il eut frayeur en lui-même, en les voyant ainsi déguisés, et pensait qu'ils fussent quelques masques hors de sens. Puis il s'enquit à quelqu'un des dits maîtres inertes de la bande de ce qui demandait cette mascarade. Il lui fut répondu qu'ils demandaient que les cloches leur fussent rendues.

Aussitôt ce propos entendu, Ponocrate courut dire les nouvelles à Gargantua, afin qu'il fût prêt à la réponse et délibérât sur-le-champ de ce qu'il convenait de faire. Gargantua, averti du cas, appela à part Ponocrate son précepteur, Philotomie son maître d'hôtel, Gymnaste son écuyer, et Eudémon, et sommairement conféra avec eux sur ce qu'il convenait tant de faire que de répondre. Tous furent d'avis qu'on les menât à l'office, et là on les fit boire théologalement, et, afin que ces tousseux n'entrât en vaine gloire pour avoir à sa requête rendu les cloches, l'on mandât, cependant qu'il chopinerait, quérir le prévôt de la ville, le recteur de la Faculté, le vicaire de l'église, auxquels, avant que le théologien eût proposé sa commission, l'on délivrerait les cloches. Après cela, eux présents, l'on ouïrait sa belle harangue. Ce qui fut fait, et, les susdits arrivés, le théologien fut en pleine ville introduit et commença ainsi qu'il s'ensuit en toussant.

CHAPITRE XIX

La harangue de maître Janotus de Bragmardo faite à Gargantua pour recouvrer les cloches

« Ehen, hen, hen ! *Mna dies,* monsieur, *mna dies, et vobis,* messieurs. Ce ne serait que bon que vous nous rendissiez nos cloches, car elles nous font fort besoin. Hen, hen, hasch ! Nous en avions bien autrefois refusé de bon argent de ceux de Londres en Cahors, si avions-nous de ceux de Bordeaux en Brie, qui les voulaient acheter pour la substantifique qualité de la complexion élémentaire qui est intronifiquée en la terrestérité de leur nature quidditative, pour écarter les pluies et les trombes de sur nos vignes, vraiment non pas nôtres, mais de près d'ici, car si nous perdons le piot, nous perdons tout, et sens et loi.

» Si vous nous les rendez à ma requête, j'y gagnerais six empans de saucisses et une bonne paire de chausses qui me feront bien plaisir à mes jambes, ou ils ne me tiendront pas promesse. Ho ! par Dieu, *Domine,* une paire de chausses, c'est bon, *et vir sapiens non abhorrebit eam.*

» Ha ! Ha ! n'a pas paire de chausses qui veut. Je le sais bien, pour ce qui est de moi. Avisez, *Domine :* il y a dix-huit jours que je suis à matagraboliser cette belle harangue. *Reddite quœ sunt Cœsaris Casari et quœe sunt Dei Deo. Ibi jacet lepus.*

» Par ma foi, *Domine,* si vous voulez souper avec moi *in camera,* par le corps Dieu ! *charitatis, nos faciemus bonum cherubin. Ego occidi unum parcum, et ego habet bon vino.* Mais de bon vin on ne peut faire mauvais latin. Or sus, *de parte Dei, date nobis clochas nostras.* Tenez, je vous donne de par la Faculté un *sermones de utino,* pourvu que, *utinam,* vous nous bailliez nos cloches. *Vultis etiam pardonos ? Per diem vos habebitis et nihil payabitis.*

» O monsieur ! *Domine, clochi dona minor nobis.*

...Ou bien alloient voir les garses d'entour, & petits banquets parmy, collations & arrière collations. (LIVRE I, CHAPITRE XXII.)

Oui-da, *est bonum urbis.* Tout le monde s'en sert. Si votre jument s'en trouve bien, aussi fait notre Faculté, *quœ comparata est jumentis insipientibus, et similis facta est eis, Psalmo nescio quo* — pourtant je l'avais bien coté en mes papiers, *et est unum bonum Achilles.* Hen, hen, ehen, hasch !

» Ça je vous prouve que vous me les devez bailler. *Ego sic argumentor. Omnis clocha clochabilis in clocherio clochando clochans clochativo clochare facit clochabiliter clochantes. Parisius habet clochas. Ergo gluc.* Ha, ha, ha, c'est parlé cela ! Il est *in tertio primœ* en *Darii* ou ailleurs. Par mon âme, j'ai vu le temps que je faisais diables d'orgue. Mais à présent, je ne fais plus que rêver, et il ne me faut plus dorénavant que bon vin, bon lit, le dos au feu, le ventre à table et écuelle bien profonde. Hé, *Domine*, je vous prie, *in nomine Patris et Filii et Spiritus sancti, amen,* que vous nous rendiez nos cloches, et Dieu vous garde du mal et Notre-Dame de Santé, *qui vivit et regnat per omnia secula seculorum, amen,* Hen he hasch, asch, grentenhasch !

« *Verum enimvoro, quandoquidem, dubio procul edelpol, quoniam, ita, certe, meus Deus fidus,* une ville sans cloches est comme un aveugle sans bâton, un âne sans croupière, et une vache sans sonnettes. Jusqu'à ce que vous nous les ayez rendues, nous ne cesserons de crier après vous comme un aveugle qui a perdu son bâton, de brailler comme un âne sans croupière, et de bramer comme une vache sans sonnettes. Un quidam latinisateur, demeurant près l'Hôtel-Dieu, dit une fois, alléguant l'autorité d'un Taponnus (je me trompe, c'était Pontanus, poète séculier) qu'il désirait qu'elles fussent

de plume et que le battant fût d'une queue de renard, parce qu'elles lui engendraient la chronique aux tripes du cerveau quans il composait ses vers poémiformes. Mais, nac petetin petetac, ticque, torche, lorgne, il fut déclaré hérétique : nous les faisons comme de cire. Et le déposant ne dit rien de plus. *Valete et plaudite. Calepinus recensui.* »

CHAPITRE XX

Comment le théologien emporta son drap et comment il eut un procès avec les Sorbonnistes

Le théologien n'eut pas sitôt achevé que Ponocrate et Eudémon s'esclaffèrent de rire tant profondément qu'ils en pensèrent rendre l'âme à Dieu, ni plus ni moins que Crassus voyant un âne couillard mangeant des chardons, et que Philémon, voyant un âne qui mangeait des figues qu'on avait apprêtées pour le dîner, moururent à force de rire. Avec eux commença à rire maître Janotus, à qui mieux mieux, tant que les larmes leur venaient aux yeux, par la véhémente secousse de la substance du cerveau, à la faveur de laquelle ces humidités lacrymales furent exprimées et transcoulées près des nerfs optiques. En quoi par eux Démocrite héraclitisant et Héraclite démocritisant étaient représentés.

Ces rires une fois calmés, Gargantua consulta avec ses gens sur ce qu'il convenait de faire. Là Ponocrate fut d'avis qu'on fît reboire ce bel orateur et, vu ce qu'il leur avait donné de passe-temps et plus fait rire que n'eût fait Songecreux, qu'on lui baillât les dix empans de saucisses mentionnés en la joyeuse harangue, avec une paire de chausses, trois cents de gros bois de moule, vingt-cinq muids de vin, un lit à triple couche de plume d'oie et une écuelle de belle capacité

et profondeur, qu'il disait être nécessaire à sa vieillesse.

Le tout fut fait ainsi qu'il avait été délibéré, excepté que Gargantua, doutant qu'on ne trouvât à l'heure des chausses commodes pour ses jambes, se demandant aussi de quelle façon elles siéraient mieux au dit orateur, ou à la martingale, qui est un pont-levis de cul pour plus aisément fienter, ou à la manière, pour mieux soulager les rognons, ou à la Suisse, pour tenir chaude la bedondaine ou à queue de merlus, de peur d'étouffer blanchet pour la doublure, le bois fut porté par les gagne-derniers ; les maîtres ès art portèrent les saucisses et écuelles. Maître Janot voulut porter le drap.

Un des dits maîtres, nommé maître Jousse Baudouille, lui remontrait que ce n'était ni honnête ni décent à l'état théologal, et qu'il le baillât à quelqu'un d'entre eux :

« Ah ! dit Janotus, baudet, tu ne conclus point *in modo et figura.* Voilà de quoi servent les suppositions de *parva logicalia. Panus pro quo supponit ?*

— *Confuse,* dit baudouille, *et distributive.*

— Je ne te demande pas, dit Janotus, baudet, *pro modo supponit,* mais *pro quo.* C'est, baudet, *pro tibiis meis,* et pour ce le porterai-je *egomet, sicut supposit m portat adpositium !* »

Ainsi l'emporta-t-il en tapinois, comme fit Patelin son drap. Le bon fut quand le tousseux, glorieusement, en plein acte de Sorbonne, requit ses chausses et saucisses, car elles lui furent péremptoirement refusées, parce qu'il les avait eues de Gargantua, selon les infor-

mations faites sur ce sujet. Il leur remontra que ç'avait été de *gratis* et de sa libéralité, par laquelle ils n'étaient point absous de leurs promesses. Ce nonobstant, il lui fut répondu qu'il se contentât de raison et qu'il n'en aurait d'autre bribe :

« Raison ? dit Janotus, nous n'en usons point céans. Malheureux traîtres, vous ne valez rien. La terre ne porte gens plus méchants que vous êtes, je le sais bien. Ne clochez pas devant les boiteux : j'ai excercé la méchanceté avec vous. Par la rate Dieu ! j'avertirai le roi des énormes abus qui sont forgés céans et par vos mains et menées, et que je sois lépreux, s'il ne vous fait tous brûler vifs comme bougres, traîtres, hérétiques et séducteurs, ennemis de Dieu et de sa vertu. »

A ces mots ils prirent articles contre lui : lui, de l'autre côté, les fit ajourner. Bref, le procès fut retenu par la cour, et y est encore, Les Sorbonicoles, sur ce point, firent vœu de ne pas se moucher, jusqu'à ce qu'il en fût dit par un arrêt définitif.

Par ces vœux, ils sont jusqu'à présent demeurés et crotteux et morveux, car la Cour n'a pas encore bien épluché toutes les pièces. L'arrêt sera donné aux prochaines calendes grecques, c'est-à-dire jamais, comme vous savez qu'ils font plus que nature et contre leurs propres articles. Les articles de Paris chantent que Dieu seul peut faire des choses infinies. Nature ne fait rien d'immortel, car elle met fin et période à toutes choses par elle produites — car *omnia orta cadunt*, etc., — mais ces avaleurs de frimas font les procès devant eux pendants et infinis et immortels. Ce que faisant, ils ont justifié et vérifié le dit de Chilon le Lacédémonien, considéré à Delphes, disant que Misère est compagne de Procès et que les gens plaidants sont misérables, car ils ont plus tôt fini de leur vie que de leur prétendu droit.

CHAPITRE XXI

L'étude de Gargantua selon la discipline de ses professeurs sorbonniques

Les premiers jours ainsi passés et les cloches remises en leur lieu, les citoyens de Paris, par reconnaissance de cette honnêteté, s'offrirent de l'entretenir et de le nourrir sagement tant qu'il lui plairait — ce que Gargantua prit bien à gré —, et l'envoyèrent vivre en la forêt de Bière. Je crois qu'elle n'y est plus maintenant.

Cela fait, il voulut de tout son sens étudier à la discrétion de Ponocrate. Mais celui-ci, pour le commencement, ordonna qu'il ferait à sa manière accoutumée,

Cela fait, il voulut de tout son sens étudier à la discrétion de Ponocrate. Mais celui-ci, pour le commencement, ordonna qu'il ferait à sa manière accoutumée, afin d'entreprendre par quel moyen, en un si long temps, ses anciens précepteurs l'avaient rendu fat, niais et ignorant.

Il disposait donc de son temps de telle façon qu'il s'éveillait soudainement entre huit et neuf heures, qu'il fût jour ou non : ainsi l'avaient ordonné ses régents théologiques, alléguant ce que dit David : *vanum est vobis ante lucem surgere.*

Puis il gambillait, gigotait et paillardait parmi le lit quelque temps, pour mieux ébaudir ses esprits animaux, et s'habillait selon la saison, mais il portait volontiers une grande et longue robe de grosse frise, fourrée de renards ; après il se peignait du peigne d'Almain, c'est-à-dire des quatre doigts et du pouce, car ses précepteurs disaient qu'autrement se peigner, laver et nettoyer était perdre son temps en ce monde.

Puis il fientait, pissait, rendait sa gorge, rotait, pétait, bâillait, crachait, toussait sanglotait, éternuait et se mouchait en archidiacre, et déjeunait pour abattre la rosée et le mauvais air : belles tripes frites, belles grillades, beaux jambons, belles cabirotades et force soupes de premier matin. Ponocrate lui remontrait qu'il ne devait se repaître si tôt au sortir du lit, sans avoir fait premièrement quelque excercie. Gargantua répondit :

« Quoi ? N'ai-je fait suffisant excercice ? Je me suis vautré six ou sept fois parmi le lit avant de me lever. N'est-ce pas assez ? Le pape Alexandre faisait ainsi par le conseil de son médecin juif, et il vécut jusqu'à la mort, en dépit des envieux. Mes premiers maîtres m'y ont accoutumé, disant que le déjeuner faisait bonne mémoire ; pourtant il y buvaient les premiers. Je m'en trouve fort bien et n'en dîne que mieux. Et me disait maître Tubal, qui fut premier à sa licence à Paris, que ce n'est pas tout l'avantage de courir bien vite, mais bien de partir de bonne heure ; ce n'est point non plus la santé totale de notre humanité de boire à tas, à tas, à tas, comme canes, mais oui bien de boire matin, *unde versus :*

« Lever matin n'est point bonheur ;
Boire matin est le meilleur. »

Après avoir bien à point déjeuné, il allait à l'église, et on lui portait dans un gros panier, un gros bréviaire empantouflé, pesant, tant en graisse qu'en fermoirs et parchemins, un peu plus un peu moins, onze quintaux six livres. Là il entendait vingt-six ou trente messes Pendant ce temps son diseur d'heures venait en place, empaletoqué comme une huppe, et ayant très bien antidoté son haleine à force de sirop de vigne. Il marmonnait avec lui toutes ses kyrielles et les épluchait

tant soigneusement qu'il n'en tombait un seul grain à terre.

Au sortir de l'église, on lui amenait, sur un train à bœufs, un monceau de patenôres de saint Claude, aussi grosses chacune qu'est le moule d'un bonnet, et, se promenant par les cloîtres, galeries ou jardin, il disait plus que seize ermites.

Puis il étudiait quelque méchante demi-heure, les yeux assis sur son livre, mais, comme dit le Comique, son âme était en la cuisine.

Pissant donc un plein urinal, il s'asseyait à table, et parce qu'il était naturellement flegmatique, il commençait son repas par quelques douzaines de jambons, de langues de bœuf fumées, de boutargues, d'andouilles et tels autre avant-coureurs de vin. Cependant quatre de ses gens lui jetaient en la bouche l'un après l'autre, continuellement, de la moutarde à pleines pelletées ; puis il buvait un horrifique trait de vin blanc pour lui soulager les rognons. Après, il mangeait, selon la saison, des viandes à son appétit, et il cessait de manger lorsque le ventre lui tirait. Il n'avait pour boire ni fin ni règle, car il disait que les mesures et bornes de boire étaient quand, la personne buvant, le liège de ses pantoufles enflait en haut d'un demi-pied.

CHAPITRE XXII

Les jeux de Gargantua

Puis grignotant tout lourdement une tranche de grâces, il se lavait les mains de vin frais, s'écurait les dents avec un pied de porc, et devisait joyeusement avec ses gens. Puis, le tapis vert étendu, l'on déployait force cartes, force dés et quantité de jeux de tables.

Là il jouait :

au flux,
à la prime,
à la vole,
à la pille,
au triomphe,
à la Picardie,
au cent,
à l'épinaie,
à la malheureuse,
au fourbi,
à passe dix,
à trente-et-un,
à paire et séquence,
à trois cents,
aux malheureux,
à la condamnade,
à la carte virade,
au malcontent,
au lansquenet,
au cocu,
à *qui a si parle,*
à *pille, nade, jocque, fore,*
à mariage,
au gai,
à l'opinion,
à *qui fait l'un fait l'autre,*
à la séquence,
aux luettes,
au taraud,
à *coquinbert qui gagne perd,*
au beliné,
au tournant,
à la ronde,
au glic,
aux honneurs,
à la mourre,
aux échecs,
au renard,
à la marelle,
à la blanche,
à la chance,
à trois dés,
à la nicnocque,
au lourche,
à la reinette,
au barignin,
au trictrac,
à toutes tables,
aux tables rabattues,
au reniguebien,
au forcé,
aux dames,
à la babou,
à *primus, secondus,*
au pied du coteau,
à la mouche,
au franc du carreau,
à pair ou non,
à croix ou pile,
aux maîtres,
au pingre ;
à la bille,
au savetier,
au hibou,
au dorelot du lièvre,
à la turlutantaine,
à *cochonnet va devant,*
aux pies,
à la corne,
au bœuf violé,
à la chevêche,

à *je te pince sans rire,*
à picoter,
à déferrer l'âne,
à laiau tru,
au *bourri bourrigou,*
à *je m'assoie,*
à la barbe d'oribus,
à la bousquine,
à *tire la broche,*
à la boute foire,
à *compère prêtez-moi votre sac,*
à la couille de bélier,
à boute hors,
à figues de Marseille,
à la mouche,
à la clef,
à l'archer tru,
à écorcher le renard,
à la ramaise,
à croc Madame,
à vendre l'avoine,
à souffler le charbon,
aux responsailles,
au juge vif ou juge mort,
à tirer les fers du four,
au manque vilain,
au cailleteau,
au bossu aulicar,
à saint Trouvé,
à *pince m'oreille,*
au poirier,
à pimpompet,
au triori,
au cercle,
à la truie,
à ventre contre ventre,
aux combes,
à la vergette,
au palet,
au *j'en suis,*
à fouquet,
aux quilles,
au rajeau,
à la boule plate,
au vireton,
au pique à Rome,
à rouchemerde,
à Angenart,
à la courte boule,
à la grièche,
à la recoquillette,
au cassepot,
à mon talent,
à la pirouette,
aux jonchets,
au court bâton,
au pirevolet,
à cligne-musette,
au piquet,
à la blacque,
au furon,
à la saguette,
au châtelet,
à la rangée,
à la fossette,
au rouflard,
à la trompe,
au moine,
au ténébré,
à l'ébahi,
à la soule,
à la navette,
à fessard,
au balai,
à *saint Côme, je te viens adorer,*

à escarbot le brun,
à *je vous prends sans vert,*
à *bien et beau s'en va Carême,*
au chêne fourchu,
au cheval fondu,
à la queue au loup,
à pet en gueule,
à *Guillemin, baille-moi ma lance,*
à la brandelle,
au treseau,
au boubou,
à la mouche,
à *la migne migne bœuf,*
au propos,
à neuf mains,
au chapifou,
au pont chu,
à Colin bridé,
à la grolle,
au coquentin,
à colin-maillard,
à mirlimoufle,
à mouchard,
au crapaud,
à la crosse,
au piston,
au bilboquet,
à la reine,
au métier,
à *tête à tête bèchevel,*
au pinot,
à male mort,
aux croquignolles,
à laver la coiffe Madame,
au bobeteau,
à sème l'avoine,
à brifaut,
au moulinet,
à défends,
à la virevolte,
au bâtonnet,
au laboureur,
à la chevêche,
aux écoublettes enragées,
à la bête morte,
à *monte, monte l'échelette,*
au pourceau mort,
à cul salé,
au pigeonnet,
au tiers,
à la bourrée,
au saut du buisson,
à croiser,
à la cute cache,
à la maille, bourse en cul,
au nid de la bondrée,
au passavant,
à la figure,
aux pétarades,
à pille moutarde,
à cambos,
à la rechute,
au fricandeau,
à la croquetête,
à la grolle,
à la grue,
à taille coup,
aux nasardes,
aux alouettes,
aux chiquenaudes.

Après avoir bien joué, sassé, passé et tamisé le temps, il décidait de boire quelque peu — c'étaient onze pégades pour homme — et soudain après banqueter, il avait coutume de s'étendre sur un beau banc ou en un beau lit plein et de dormir deux ou trois heures, sans mal penser ni mal dire. Eveillé, il secouait un peu les

En pleine nuyt, davant que soy retirer, alloient au lieu de leur logis le plus descouvert voir la face du ciel..
(Livre I, Chapitre XXIII.)

oreilles. Cependant, il était apporté du vin frais ; là il buvait mieux que jamais. Ponocrate lui remontrait que c'était un mauvais régime que de boire ainsi après dormir : « C'est, répondit Gargantua, la vraie vie des Pères, car de ma nature je dors salé, et le dormir m'a valu autant de jambon. »

Puis il commençait à étudier quelque peu, et patenôtres en avant ; pour les expédier mieux en forme, il montait sur une vieille mule, laquelle avait servi neuf rois. Ainsi marmottant de la bouche et dodelinant de la tête, il allait voir prendre quelques lapins aux filets.

Au retour il se transportait en la cuisine pour savoir quel rôt était en broche. Et il soupait très bien, par ma conscience : et conviait volontiers quelques buveurs de ses voisins, avec lesquels, buvant d'autant, contaient des vieux jusqu'aux nouveaux.

Il avait entre autres pour domestiques les seigneurs du Fou, de Gourville, de Grignault et de Marigny. Après souper, venaient en place les beaux évangiles de bois, c'est-à-dire force jeux de tables ou le beau flux, un, deux, trois, ou à tous risques pour abréger, ou bien il allait voir les garces d'alentour, et petits banquets parmi collations et arrière-collations. Puis il dormait sans débrider jusqu'au lendemain matin huit heures.

CHAPITRE XXIII

Comment Gargantua fut instruit par Ponocrate en telle discipline qu'il ne perdait une heure du jour

Quand Ponocrate connut la vicieuse manière de vivre de Gargantua il décida de l'instruire autrement en lettres ; mais, pour les premiers jours, il le toléra, considérant que Nature n'endure de mutations soudaines sans grande violence.

Donc pour mieux commencer son œuvre, il supplia

un savant médecin de son temps, nommé maître Théodore, de considérer s'il était possible de remettre Gargantua en meilleure voie. Celui-là le purgea canoniquement avec l'éllébore d'Anticyre, et, par ce médicament, lui nettoya toute l'altération et perverse habitude du cerveau. Par ce moyen aussi, Ponocrate lui fit oublier tout ce qu'il avait appris, sous ses anciens précepteurs, comme faisait Timothée à ses disciples qui avaient été instruits sous d'autres musiciens.

Pour mieux faire cela, il l'introduisait dans les compagnies des gens savants qui étaient là, à l'émulation desquels lui augmentèrent l'esprit et le désir d'étudier autrement et de se faire valoir.

Après, il le mit en un tel train d'étudier qu'il ne perdait une heure quelconque du jour ; mais il consommait tout son temps en lettres et honnête savoir.

Gargantua s'éveillait donc environ quatre heures du matin. Pendant qu'on le frottait, il lui était lu quelque page de la divine Ecriture, hautement et clairement, avec la prononciation convenant à la matière, et cela était commis un jeune page, natif de Basché, nommé Anagnoste. Selon le propos et argument de cette leçon, souventes fois il s'adonnait à révérer, adorer, prier et supplier le bon Dieu, duquel la lecture montrait la majesté et les jugements merveilleux.

Puis, il allait aux lieux secrets faire excrétion des digestions naturelles. Là son précepteur répétait ce qui avait été lu, lui exposant les points les plus obscurs et les plus difficiles. En retournant, ils considéraient l'état du ciel, s'il était tel qu'ils avaient noté le soir précédent, et en quels signes entraient le soleil et aussi la lune, pour cette journée.

Cela fait, il était habillé, peigné, coiffé, accoutré et parfumé, et durant ce temps on lui répétait les leçons du jour d'avant. Lui-même les disait par cœur et y mêlait quelques cas pratiques et concernant l'état humain, qu'ils étendaient quelquefois jusqu'à deux ou trois heures, mais qu'ordinairement, ils cessaient quand il

était tout à fait habillé. Puis pendant trois bonnes heures une lecture lui était faite.

Cela fait, ils sortaient, toujours conférant des propos de la lecture, et se divertissaient en Bracque ou dans les prés, et jouaient à la balle, à la paume, à la balle en triangle, s'exerçant galamment le corps comme ils avaient auparavant exercé leurs âmes. Tout leur jeu n'était qu'en liberté, car ils laissaient la partie quand il leur plaisait, et cessaient ordinairement lorsqu'ils suaient par le corps ou étaient las autrement. Ils étaient alors très bien essuyés et frottés, changaient de chemise, et, se promenant doucement, allaient voir si le dîner était prêt. Là, en attendant, ils récitaient clairement et éloquemment quelques sentences retenues de la leçon.

Cependant, Monsieur l'Appétit venait, et, par bonne opportunité, ils s'asseyaient à table. Au commencement du repas était lue quelque histoire plaisante de prouesses antiques, jusqu'à ce qu'il eût pris son vin.

Lors, si bon semblait, on continuait la lecture ou ils commençaient à deviser joyeusement, parlant ensemble, pour les premiers mois, de la vertu, propriété, efficacité et nature de tout ce qui leur était servi à table : du pain, du vin, de l'eau, du sel, des viandes, poissons, fruits, herbes, racines et de l'apprêt de celles-ci. Ce que faisant, il apprit en peu de temps tous les passages s'y rapportant dans Pline, Athénée, Dioscoride, Julius Pollux, Galien, Porphyre, Oppien, Polybe, Héliodore, Aristote, Elien et autres. Ces propos tenus, ils faisaient souvent, pour être plus assurés, apporter les livres susdits à table. Là il retint si bien et entièrement en sa mémoire les choses dites que, pour lors, il n'était médecin qui en sût la moitié autant qu'il faisait. Après, ils devisaient des leçons lues au matin, et, tandis qu'ils parachevaient leur repas par quelque confiture de coing, il s'écurait les dents avec un tronc de lentisque, se lavait les mains et les yeux de belle eau fraîche et rendait grâces à Dieu par quelques beaux

cantiques faits à la louange de la munificence et bénignité divine.

Cela fait, on apportait des cartes, non pour jouer, mais pour y apprendre mille petites gentillesses et inventions nouvelles, lesquelles toutes sortaient d'arithmétique. Par ce moyen, il entra en affection de cette science numérale, et, tous les jours, après dîner et souper, il y passait son temps avec autant de plaisir qu'il en prenait d'habitude aux dés ou aux cartes. Par suite il sut de cette science et théorique et pratique, si bien, que Tunstal, Anglais qui en avait amplement écrit, confessa que vraiment, en comparaison de lui, il n'y entendait que du haut allemand.

Et non seulement celle-ci, mais les autres sciences mathématiques comme géométrie, astronomie et musique ; car, en attendant la concoction et digestion de son repas, ils faisaient mille joyeux instruments et figures géométriques, et de même pratiquaient les canons astronomiques. Après ils s'ébaudissaient à chanter musicalement à quatre et cinq parties, ou sur un thème, à plaisir de gorge. En ce qui regarde les instruments de musique, il apprit à jouer du luth, de l'épinette, de la harpe, de la flûte d'Allemand et à neuf trous, de la viole et de la sacquebutte.

Cette heure ainsi employée, la digestion parachevée, il se purgeait des excréments naturels ; puis il se remettait à son étude principale pendant trois heures ou davantage, tant à répéter la lecture matutinale qu'à poursuivre le livre entrepris qu'aussi à écrire et à bien tracer et former les anciennes lettres romaines.

Cela fait, ils sortaient de leur hôtel ; avec eux était un jeune gentilhomme de Touraine nommé l'écuyer Gymnaste, lequel lui montrait l'art de chevalerie. Changeant donc de vêtements, il montait sur un coursier, sur un roussin, sur un genet, sur un cheval barbe, sur un cheval léger, et lui donnait cent fois carrière, le faisant voltiger en l'air, franchir le fossé, sauter la palissade, tourner court en un cercle, tant à dextre comme à senestre. Là il rompait, non la lance — car c'est la plus grande rêverie du monde de dire : « J'ai rompu dix lances en tournoi ou en bataille », un charpentier le ferait bien —, mais c'est louable gloire d'avoir rompu d'une lance dix de ses ennemis, De sa lance donc, acérée, verte et roide, il rompait une porte, enfonçait un harnais, abattait un arbre, enfilait un anneau enlevait une selles d'armes, un haubert, un gantelet. Il faisait le tour armé de pied en cap.

Quant à faire exécuter des exercices à la voix et faire

les petits appels de la langue sur un cheval, nul ne le fit mieux que lui. Le voltigeur de Ferrare n'était qu'un singe en comparaison. Notamment il était appris à sauter hâtivement d'un cheval sur l'autre sans prendre terre, et l'on nommait ces chevaux *désultoires* ; et à monter de chaque côté, la lance au poing, sans étriers et à guider le cheval sans bride, à son plaisir, car telles choses servent à la discipline militaire.

Un autre jour il s'exerçait à la hache, laquelle tant bien il coulait, tant vertement il resserrait de tous coups de pointe, tant souplement il abattait d'un coup de taille en cercle, qu'il fût passé chevalier d'armes en campagne et en tous essais.

Puis il branlait la pique, saquait de l'épée à deux mains, de l'épée bâtarde, de l'espagnole, de la dague et du poignard, armé, non armé, au bouclier, à la cape, à la rondache.

Il courait le cerf, le chevreuil, l'ours, le daim, le sangliers, le lièvre, la perdrix, le faisan, l'outarde. Il jouait à la grosse balle, et la faisait bondir en l'air autant du pied que du poing.

Il luttait, courait, sautait, non à trois pas un saut, non à cloche-pied, non au saut d'Allemand, car, disait Gymnaste, tels sauts sont inutiles et de nul bien en guerre ; mais d'un saut il traversait un fossé, volait sur une haie, montait six pas contre une muraille, et rampait de cette façon à une fenêtre de la hauteur d'une lance.

Il nageait en eau profonde, à l'endroit, à l'envers, de côté, de tout le corps, des seuls pieds, une main en l'air, dans laquelle tenant un livre il traversait toute la rivière de Seine sans le mouiller, et en tirant par les dents son manteau comme faisait Jules César. Puis d'une main, il entrait par grand force en un bateau, de celui-ci se jetait derechef en l'eau la tête la première ; il sondait le fond, creusait les rochers, plongeait aux abîmes et aux gouffres. Puis il tournait ce bateau, le gouvernait, menait hâtivement, lentement, à fil d'eau, contre le courant, le retenait en pleine écluse, le

guidait d'une main, s'escrimait de l'autre avec un grand aviron, tendait la voile, montait au mât par les cordages, courait sur les vergues, ajustait la boussole, mettait les armures à contre-vent, bandait le gouvernail.

Sortant de l'eau, il montait raidement le long de la montagne et dévalait aussi franchement, il grimpait aux arbres comme un chat, sautait de l'un sur l'autre comme un écureuil, abattait les gros rameaux comme un autre Milon , avec deux poignards acérés et deux poinçons éprouvés, il montait au haut d'une maison comme un rat, puis descendait du haut en bas en telle position des membres qu'il n'était aucunement blessé par la chute. Il jetait le dard, la barre, la pierre, la javeline, l'épieu, la hallebarde, tirait à fond l'arc, bandait à ses reins les fortes arbalètes de passe, visait de l'arquebuse à l'œil, affûtait le canon, tirait à la butte, au papegai, de bas en haut, de haut en bas, devant, de côté, en arrière comme les Parthes.

On lui attachait un câble en quelque haute tour, pendant en terre ; il y montait à deux mains, puis dévalait si raidement et si assurément que vous ne pourriez faire plus par un pré bien nivelé.

On lui mettait une grosse perche appuyée à deux arbres ; il s'y pendait par les mains, et de celle-ci il allait et venait sans toucher des pieds à rien, qu'à grande course on ne l'eût pu atteindre.

Et, pour s'exercer le thorax et les poumons, il criait comme tous les diables. Je l'ouïs une fois appelant Eudémon depuis la porte Saint-Victor jusqu'à Montmartre. Stentor n'eut oncques telle voix à la bataille de Troie.

Et, pour se ragaillardir ses nerfs, on lui avait fait deux gros saumons de plomb, chacun du poids de huit mille sept cents quintaux, qu'il nommait haltères. Il les prenait de terre en chaque main, et les élevait en l'air au-dessus de la tête, et les tenait ainsi, sans remuer, trois quarts d'heure et davantage, ce qui était une force inimitable.

Il jouait aux barres avec les plus forts, et quand le point arrivait, il se tenait sur ses pieds tant raidement qu'il s'abandonnait aux plus aventureux, pour voir s'ils le feraient mouvoir de sa place, comme jadis Milon, à l'imitation duquel il tenait aussi une pomme de grenade en ses mains et la donnait à qui pourrait lui ôter.

Après avoir ainsi employé le temps, s'être frotté, nettoyé et avoir mis des habillements frais, il s'en retournait tout doucement ; et, passant par quelques prés ou autres lieux herbus, ils visitaient les arbres et les plantes, les conférant avec les livres des anciens qui en ont écrit, comme Théophraste, Dioscoride, Marinus, Pline, Nicandre Macer et Galien ; et ils en emportaient leurs pleines mains au logis, dont avait la charge un jeune page nommé Rhizotome, ainsi que des houes, des pioches, des serpettes, des bêches, des tranchoirs et autres instrument requis pour bien herboriser.

Arrivés au logis, cependant qu'on apprêtait le souper, ils répétaient quelques passages de ce qui avait été lu, et s'asseyaient à table.

Notez ici que son dîner était sobre et frugal, car il mangeait seulement pour refréner les abois de l'estomac ; mais le souper était copieux et large, car il en prenait autant que besoin lui était pour s'entretenir et se nourrir, ce qui est le vrai régime prescrit par l'art de bonne et sûre médecine, quoiqu'un tas de badauds médecins, harcelés en l'officine des Arabes, conseillent le contraire.

Durant ce repas était continuée la leçon du dîner, tant que bon lui semblait ; le reste était consommé en bons propos, tous lettrés et utiles.

Après grâces rendues, ils s'adonnaient à chanter musicalement, à jouer d'instruments harmonieux, ou de ces petits passe-temps qu'on fait aux cartes, aux dés et gobelets, et ils demeuraient là, faisant grande chère et s'ébaudissant parfois jusqu'à l'heure de dormir ; quelquefois ils allaient visiter les compagnies de gens lettrés ou de gens qui eussent vu des pays étrangers.

En pleine nuit, avant de se retirer, ils allaient du lieu de leur logis le plus découvert voir la face du ciel, et là ils notaient les comètes, s'il en était, les figures, situations, aspects, oppositions et conjonctions des astres.

Puis, avec son précepteur, il récapitulait brièvement, à la mode des Pythagoriciens, tout ce qu'il avait lu, vu su, fait et entendu au cours de toute la journée.

Ainsi priaient-ils Dieu le créateur, en l'adorant et confirmant leur foi envers lui, et, le glorifiant de sa bonté immense et lui rendant grâce de tout le temps passé, se recommandant à sa divine clémence pour tout l'avenir.

Cela fait, ils entraient en leur repos.

CHAPITRE XXIV

Comment Gargantua employait le temps quand l'air était pluvieux

S'il advenait que l'air fût pluvieux et intempéré, tout le temps d'avant-dîner était employé comme de coutume, excepté qu'il faisait allumer un beau et clair feu pour corriger l'intempérie de l'air. Mais après dîner, au lieu d'exercices, ils demeuraient à la maison, et par manière d'hygiène ils s'ébattaient à botteler du foin, à fendre et à scier du bois, et à battre les gerbes en la grange. Puis ils étudiaient en l'art de peinture et sculpture, ou remettaient en usage l'antique jeu des osselets ainsi qu'en a écrit Léonicus et comme y joue notre bon ami Lascaris. En y jouant, ils récolaient les passages des auteurs auxquels est mentionnée ou prise quelque métaphore sur ce jeu.

Semblablement ou ils allaient voir comment on tirait les métaux, ou comment on fondait l'artillerie, ou ils allaient voir les lapidaires, orfèvres et tailleurs de pierreries, ou les alchimistes et monnayeurs, ou les tapissiers en haute lice, les tisserands, les fabricants de velours, les horlogers, miroitiers, imprimeurs, facteurs d'orgues, teinturiers, et autres telles sortes d'ouvriers, et partout donnant des pourboires, ils apprenaient et considéraient l'industrie et invention des métiers.

Ils allaient ouïr les leçons publiques, les actes solennels, les répétitions, les déclamations, les plaidoyers des gentils avocats, les harangues des prêcheurs évangéliques.

Il passait par les salles et les lieux ordonnés pour l'escrime, et là, contre les maîtres, essayait de toutes armes, et leur montrait par l'évidence qu'il en savait autant qu'eux, voire plus.

Et, au lieu d'herboriser, ils visitaient les boutiques des droguistes, herboristes et apothicaires, et considéraient avec soin les fruits, racines, feuilles, gommes,

semences, onguents exotiques, et aussi comment on les adultérait.

Il allait voir les bateleurs, jongleurs et vendeurs de

thériaque, et considérait leurs gestes, leurs ruses, leurs soubresauts et leur beau parler, singulièrement de ceux de Chauny en Picardie, car ils sont de nature grands jaseurs et beaux bailleurs de balivernes en matière de singes verts.

Après être retournés pour souper, ils mangeaient plus sobrement qu'aux autres jours, et des mets plus dessicatifs et exténuant, afin que l'intempérie humide de l'air, communiquée au corps par nécessaire confinité, fût par ce moyen corrigée et ne leur fût incommode pour ne pas s'être exercée comme ils avaient coutume.

Ainsi fut gouverné Gargantua, et il continuait cette façon de procéder de jour en jour, profitant, comme vous entendez que peut faire, selon son âge, un jeune homme de bon sens, en tel exercice ainsi continué,

lequel, bien qu'il semblât pour le commencement difficile, fut tant doux, léger et délectable en la continuation qu'il ressemblait mieux à un passe-temps de roi qu'à l'étude d'un écolier.

Toutefois Ponocrate pour le reposer de cette véhémente contention d'esprit, avisait une fois le mois quelque jour bien clair et serein, auquel ils bougeaient au matin de la ville, et allaient ou à Gentilly ou à Boulogne ou à Montrouge, ou au pont de Charenton ou à Vanves ou à Saint-Cloud. Et là, ils passaient toute la journée à faire la plus grande chère dont

ils se pouvaient aviser, raillant, gaudissant, buvant d'autant, jouant, chantant, dansant, se vautrant en quelque beau pré, dénichant des passereaux, prenant des cailles, pêchant aux grenouilles et aux écrevisses.

Mais encore que cette journée fût passée sans livres et lectures, elle n'était point passée sans profit, car en beau pré ils récolaient par cœur quelques plaisants vers de l'*Agriculture* de Virgile, d'Hésiode, du *Rustique* de Politien, écrivaient quelques plaisantes épigrammes en latin, puis les mettaient par rondeaux et ballades en langue française.

En banquetant, ils séparaient l'eau du vin mouillé, comme l'enseignent Caton, *De re rustica*, et Pline, avec un gobelet de lierre, lavaient le vin en plein bassin d'eau, puis le retiraient avec un entonnoir, faisaient aller l'eau d'un verre à l'autre, bâtissaient plusieurs petits engins automates, c'est-à-dire se mouvant eux-mêmes.

CHAPITRE XXV

Comment surgit entre les fouaciers de Lerné et ceux du pays de Gargantua le grand débat dont furent faites de grosses guerres

En ce temps-là, qui était la saison des vendanges, au commencement de l'automne, les bergers de la contrée étaient à garder les vignes et empêcher que les étourneaux ne mangeassent les raisins.

En même temps, les fouaciers de Lerné passaient par le grand chemin, menant dix ou douze charges de fouaces à la ville. Les dits bergers les requirent courtoisement de leur en bailler pour leur argent, au prix du marché. Car notez que c'est mets céleste de manger à déjeuner des raisins avec de la fouace fraîche, mêmement des pineaux, des fiers, des muscadeaux, de la bicane et des foirards pour ceux qui sont constipés du ventre,

car ils les font aller long comme une pique, et souvent, croyant péter, ils se conchient, d'où ils sont surnommés les croyeurs de vendanges.

A leur requête ne furent nullement enclins les fouaciers, mais, qui pis est, ils les outragèrent grandement, les appelant trop de leur espèce, brèche-dents, plaisants rouquins, débauchés, chienlits, mauvais gars, limes sournoises, fainéants, petits friands, bedons, fanfarons, vauriens, rustres, michés, happe-lopins, traîne-gaines, gentils muguets, copieux, flemmards, malotrus, dandins, dadais, niais, gobergeurs, gongoisiers, claque-dents, bouviers d'étrons, bergers de merde, et autres telles épithètes diffamatoires ; ajoutant qu'il ne leur appartenait point de manger de ces belles fouaces, mais qu'ils se devaient contenter de gros pain ballé et de tourte.

Auquel outrage un d'entre eux, nommé Frogier, bien honnête homme de sa personne et notable jouvenceau, répondit doucement :

« Depuis quand avez-vous pris des cornes que vous êtes tant rogues devenus ? Oui-da, vous aviez coutume de nous en bailler volontiers, et maintenant vous vous y refusez ! Ce n'est pas le fait de bons voisins, et nous ne faisons ainsi avec vous, nous, quand vous venez ici acheter notre beau froment, dont vous faites vos gâteaux et fouaces. Nous vous eussions donné de nos raisins par-dessus le marché ; mais, par la mère de Dieu ! vous vous en pourriez repentir, et vous aurez quelque jour affaire à nous. Alors nous ferons pareil envers vous, et qu'il vous en souvienne ! »

Alors Marquet, grand bâtonnier de la confrérie des fouaciers, lui dit :

« Vraiment tu es bien crêté ce matin ; tu mangeas hier soir trop de mil. Viens çà, viens çà, je te donnerai de ma fouace. »

Alors Frogier en toute simplesse approcha, tirant un onzain de son baudrier, pensant que Marquet lui dût dépocher de ses fouaces, mais il lui bailla de son fouet à travers les jambes si rudement que les nœuds y apparaissaient ; puis il voulut prendre la fuite. Mais Frogier s'écria : « Au meurtre ! » et « A la force ! » tant qu'il put, lui jeta en même temps une grosse trique qu'il portait sous son aisselle et l'atteignit par la jointure coronale de la tête, sur l'artère temporale, du côté droit, de la sorte que Marquet tomba de sa jument ; il ressemblait mieux à un homme mort que vif.

Cependant les métayers, qui là auprès échalaient les noix, accoururent avec leurs grandes gaules, et frappèrent sur ces fouaciers comme du seigle vert. Les autres bergers et bergères, entendant le cri de Frogier, y vinrent avec leurs frondes et bâtons et les suivirent à grands coups de pierres, tant menus qu'il semblait que ce fût grêle. Finalement ils les rejoignirent et leur ôtèrent quatre ou cinq douzaines de leurs fouaces ; toutefois ils les payèrent au prix accoutumé, et leur donnèrent un cent de noix et trois panerées de raisins blancs. Puis les fouaciers aidèrent à monter Marquet, qui était vilainement blessé, et retournèrent à Lerné sans poursuivre le chemin de Parilly, menaçant fort et ferme les bouviers, bergers et métayers de Seuilly et de Cinais.

Cela fait, bergers et bergères firent chère lie avec ces fouaces et beaux raisins, et se rigolèrent ensemble au son de la belle musette, se moquant de ces fouaciers glorieux, qui avaient trouvé malencontre par faute de s'être signés de la bonne main au matin. Et avec de gros raisins chenins, ils étuvèrent les jambes de Frogier mignonnement, si bien qu'il fut tantôt guéri.

CHAPITRE XXVI

Comment les habitants de Lerné, par le commandement de Picrochole, leur roi, assaillirent au dépourvu les bergers de Gargantua

Les fouaciers retournés à Lerné, soudain, avant de

boire et manger, se transportèrent au Capitole, et là, devant leur roi, nommé Picrochole, troisième de ce nom exposèrent leur plainte, montrant leurs paniers rompus, leurs bonnets froissés, leurs robes déchirées, leurs fouaces détroussées, et singulièrement Marquet blessé énormément, disant le tout avoir été fait par les bergers et métayers de Grandgousier, près le grand chemin, par delà Seuilly.

Lequel incontinent entra en un courroux furieux, et sans plus outre s'interroger quoi ni comment, fit crier par son pays le ban et l'arrière-ban, et qu'un chacun, sous peine de la hart, s'en vînt en armes sur la grand' place devant le château, à l'heure de midi. Pour mieux affermir son entreprise, il envoya sonner le tambour à l'entour de la ville. Lui-même, cependant qu'on apprêtait son dîner, alla faire mettre sur affûts son artillerie, déployer son enseigne et son oriflamme et charger force munitions, tant d'équipements d'armes que de gueules.

En dînant, il bailla les commissions ; et fut par son édit le seigneur Trépelu placé à l'avant-garde, en laquelle furent comptés seize mille quatorze arquebusiers, trente cinq mille aventuriers.

A l'artillerie fut commis le grand écuyer Touquedillon, en laquelle furent comptées neuf cent quatorze grosses pièces de bronze, en canons, doubles canons, basilics, serpentines, couleuvrines, bombardes, faucons, passevolants, spiroles et autres pièces. L'arrière-garde fut baillée au duc Raquedenare. Au centre se tinrent le roi et les princes de son royaume.

Ainsi sommairement accoutrés, avant que de se mettre en route, ils envoyèrent trois cent chevau-légers, sous la conduite du capitaine Engoulevent, pour découvrir le pays et savoir s'il était quelque embûche par la contrée. Mais, après avoir diligemment cherché, ils trouvèrent tout le pays à l'environ en paix et silence, sans assemblée quelconque.

Ce qu'entendant Picrochole commanda que chacun marchât sous son enseigne hâtivement.

Adonc, sans ordre ni mesure, ils prirent les champs les uns parmi les autres, gâtant et dissipant tout par où ils passaient, sans épargner ni pauvre ni riche, ni bien sacré ni profane ; ils emmenaient les bœufs, vaches, taureaux, veaux, génisses, brebis, moutons, chèvres et boucs, poules, chapons, poulets, oisons, jars, oies, porcs, truies, gorets, abattant les noix, vendangeant les vignes, emportant les ceps, secouant tous les fruits des arbres.

C'était un désordre incomparable en ce qu'ils faisaient, et ils ne trouvèrent personne qui leur résistât, mais un chacun se mettait à leur merci, les suppliant d'être traîtés plus humainement en considération de ce qu'ils avaient de tout temps été bons et amicaux voisins, et que jamais entre eux ils ne commirent d'excès ni d'outrage pour être ainsi soudainement molestés par eux, et que Dieu les en punirait bientôt. A ces remontrances ils ne répondirent rien, sinon qu'ils voulaient leur apprendre à manger de la fouace.

CHAPITRE XXVII

Comment un moine de Seuilly sauva le clos de l'abbaye du sac des ennemis

Ils firent tant et tant, parcoururent, pillant et larronnant, qu'ils arrivèrent à Seuilly, et détroussèrent hommes et femmes, et prirent ce qu'ils purent : rien ne leur fut trop chaud ni trop pesant. Bien que la peste y fût parmi la plus grande partie des maisons, ils entraient partout, ravissaient tout ce qui était dedans, et jamais nul n'en prit danger, ce qui est un cas assez merveilleux : car les curés, vicaires, prêcheurs, médecins, chirurgiens et apothicaires, qui allaient visiter, panser, guérir, prêcher et admonester les malades, étaient tous morts de l'infection, et ces diables pilleurs et meurtriers oncques n'y prirent mal. D'où vient cela, messieurs ? Pensez-y, je vous prie.

Le bourg ainsi pillé, ils se transportèrent en l'abbaye avec un horrible tumulte, mais ils la trouvèrent bien resserrée et fermée. Alors l'armée principale marcha outre, vers le gué de Vède, excepté sept enseignes de gens de pied et deux cents lances qui restèrent là et rompirent les murailles du clos afin de gâter toute la vendange.

Les pauvres diables de moines ne savaient auquel de leurs saints se vouer. A toutes aventures ils firent sonner *ad capitulum capitulantes.* Là fut décrété qu'ils feraient une belle procession, renforcée de beaux préludes et litanies *contra hostium insidias* et de beaux répons *pro pace.*

En l'abbaye était pour lors un moine cloîtré nommé frère Jean des Entommeures, jeune, galant, pimpant, alerte, bien adroit, hardi, aventureux, décidé, haut, maigre, bien fendu de gueule, bien avantagé en nez, beau dépêcheur d'heures, beau débrideur de messes, beau décrotteur de vigiles, pour tout dire sommairement un vrai moine si oncques il en fut depuis que le monde moinant moina de moinerie ; au reste, savant jusqu'aux dents en matière de bréviaire.

Celui-ci, entendant le bruit que faisaient les ennemis par le clos de leur vigne, sortit dehors pour voir ce qu'ils faisaient, et s'avisant qu'ils vendangeaient leur clos auquel était fondée leur boisson de toute l'année, il retourna au chœur de l'église où étaient les autres moines, tout étonnés comme fondeurs de cloches ; et les voyant chanter *ini, nim, pe, ne, ne, ne, ne, ne, ne, tum, ne, num, num, ini, i, mi, imi, co, o, ne, no, o, o, ne, no, ne, no, no, no, rum, ne, num, num :* « C'est, dit-il, bien chié chanté. Vertudieu ! que ne chantez-vous :

Adieu paniers, vendanges sont faites ?

« Je me donne au diable s'ils ne sont pas en notre

clos, et s'ils ne coupent si bien et ceps et raisins qu'il n'y aura, cordieu ! de quatre années que grappiller là-dedans. Ventre-saint-Jacques ! que boirons-nous cependant, nous autres pauvres diables ? Seigneur Dieu, *da mihi potum !* »

Alors le prieur du cloître dit :

« Que vient faire cet ivrogne ici ? qu'on me le mène en prison. Troubler ainsi le service divin !

— Mais dit le moine, le service du vin, faisons tant qu'il ne soit troublé : car vous-même, monsieur le prieur, aimez boire du meilleur ; ainsi fait tout homme de bien. Jamais homme noble ne hait le bon vin : c'est un apophtegme monacal. Mais ces répons que vous chantez ici ne sont, pardieu ! point de saison. Pourquoi nos heures sont-elles courtes en temps de moissons et de vendanges, longues en l'Avant et tout l'hiver ? Feu, de bonne mémoire, frère Macé Pelosse, vrai zélateur — ou je me donne au diable — de notre religion, me dit, il m'en souvient, que la raison était afin qu'en cette saison nous fassions bien serrer et faire le vin, et qu'en hiver nous le buvions. Ecoutez, messieurs, vous autres qui aimez le vin : cordieu ! suivez-moi ! Car me brûle hardiment saint Antoine, si ceux-là tâtent du piot qui n'auront pas secouru la vigne ! Ventredieu ! les biens de l'Eglise ! Ha ! non, non ! Diable ! Saint Thomas l'Anglais voulut bien pour eux mourir : si j'y mourais, ne serais-je saint de même ? Je n'y mourrai pourtant pas déjà, car c'est moi qui fais mourir les autres. »

Ce disant, il mit bas son grand habit et se saisit du bâton de la croix, qui était de cœur de cormier, long comme une lance, rond à plein poing, et quelque peu semé de fleurs de lys, toutes presque effacées. Il sortit ainsi en beau sayon, mit son froc en écharpe, et de son bâton de la croix donna si brusquement sur les ennemis qui, sans ordre, ni enseigne, ni trompette, ni tambourin, parmi le clos vendangeaient — car les porte-guidons et porte-enseignes avaient mis leurs guidons et enseignes à l'orée des murs, les tambourineurs avaient défoncé leurs tambourins d'un côté pour les emplir de raisins, les trompettes étaient chargés de grappes, chacun était débandé, — il frappa donc si raidement sur eux, sans dire gare, qu'ils les renversait comme des porcs, frappant à tort et à travers, selon la vieille escrime.

Aux uns il écrabouillait la cervelle, aux autres il rompait les bras et les jambes, aux autres il disloquait les vertèbres du cou, cassait les reins, abattait le nez, pochait les yeux, fendait les mandibules, enfonçait les dents en la gueule, défonçait les omoplates, mettait les jambes en marmelade, déboîtait les hanches, bousillait les avant-bras.

Si quelqu'un voulait se cacher entre les ceps les plus épais, il lui fracassait toute l'arête du dos et lui brisait les reins comme à un chien. Si l'un voulait se sauver en fuyant, il lui faisait voler la tête en morceaux par la commissure lambodoïde. Si quelqu'un grimpait à un arbre, pensant y être en sûreté, il l'empalait de son bâton par le fondement. Si quelqu'un de sa vieille connaissance lui criait :

« Ha ! frère Jean, mon ami, frère Jean, je me rends !

— Il t'est, disait-il, bien forcé ; mais tu rendras en même temps l'âme à tous les diables. »

Et soudain il lui donnait le coup de grâce.

Et si personne tant était épris de témérité qu'il lui voulût résister en face, il montrait là la force de ses muscles, car il leur transperçait la poitrine par le médiastin et par le cœur ; donnant à d'autres sur le défaut des côtes, il leur retournait l'estomac, et ils mouraient soudain. Aux autres il frappait si farouchement par le nombril qu'il leur faisait sortir les tripes. Aux autres, parmi les couillons, il perçait le boyau culier. Croyez que c'était le plus horrible spectacle qu'on vît oncques.

Les uns criaient : « Sainte Barbe ! », les autres : « Saint Georges ! », les autres : « Sainte Nitouche ! », les autres : « Notre-Dame de Cunault, de Lorette, de Bonnes-Nouvelles, de la Lenou, de Rivière ! ». Les uns se vouaient à saint Jacques, les autres au saint Suaire de Chambéry, mais il brûla trois mois après, si bien qu'on n'en put sauver un seul brin. Les autres à Cadouin, les autres à saint Jean d'Angely, les autres à saint Eutrope de Saintes, à saint Mesme de Chinon, à saint Martin de Candes, à saint Clouaud de Cinais, aux reliques de Javarzay, et à mille autres bons petits saints.

Les uns mouraient sans parler, les autres parlaient sans mourir, les uns mouraient en parlant, les autres parlaient en mourant. Les autres criaient à haute voix : « Confession ! confession ! *Confiteor, miserere, in manus.* »

Tant fut grand le cri des blessés, que le prieur de l'abbaye sortit avec tous ses moines, lesquels, quand ils aperçurent ces pauvres gens ainsi renversés parmi la vigne et blessés à mort, en confessèrent quelques-uns. Mais pendant que les moines s'amusaient à confesser, les petits moinetons coururent au lieu où était frère Jean, et lui demandèrent en quoi il voulait qu'ils lui aidassent.

A quoi il répondit qu'ils égorgeassent ceux qui étaient portés par terre. Donc, laissant leurs grandes capes sur une treille au plus près, ils commencèrent à égorger et à achever ceux qu'on avait déjà meurtris. Savez-vous avec quels instruments ? Avec de beaux gouvets qui sont de petits demi-couteaux, dont les petits enfants de notre pays cernent les noix.

Puis, avec son bâton de croix, il gagna la brèche qu'avaient faite les ennemis. Quelques-uns des moinetons emportèrent les enseignes et guidons en leurs chambres pour en faire des jarretières. Mais quand ceux qui s'étaient confessés voulurent sortir par cette brèche, le moine les assommait de coups, en disant :

« Ceux-ci sont confessés et repentants, et ont gagné les pardons : ils s'en vont en paradis droit comme une faucille et comme est le chemin de Faye. »

Ainsi, par sa prouesse, furent déconfits tous ceux de l'armée qui étaient entrés dans le clos, jusqu'au nombre de treize mille six cent vingt-deux, sans les femmes et les enfants, cela s'entend toujours.

Jamais Maugis ermite ne se porta si vaillamment avec son bourdon contre les Sarrasins dont il est écrit aux gestes des quatre fils Aymon, que fit le moine à l'encontre des ennemis avec le bâton de la croix.

Alors chocqua de son grand arbre contre le chasteau, & à grands coups abattit & leurs tours & forteresses, & ruina tout par terre : par ce moyen, furent tous rompuz & mis en pièces ceux qui estoient en iceluy. (Livre I, Chapitre XXXVI.)

CHAPITRE XXVIII

Comment Picrochole prit d'assaut la Roche-Clermaud, et le regret et la difficulté que fit Grandgousier d'entreprendre la guerre

Pendant que le moine s'escarmouchait, comme nous avons dit, contre ceux qui étaient entrés dans le clos, Picrochole, avec une grand hâte, passa le gué de Vède avec ses gens et assaillit la Roche-Clermaud, auquel lieu ne lui fut faite résistance quelconque, et, parce qu'il était déjà nuit, il décida de s'héberger en cette ville, lui et ses gens, et de la rafraîchir de son âcre colère.

Au matin, il prit d'assaut les boulevards et le château, et le rempara très bien, et le pourvut des munitions requises, pensant faire là sa retraite s'il était assailli par ailleurs, car le lieu était fort, et par art et par nature, à cause de sa situation et de son assiette.

Or laissons-les là, et retournons à notre bon Gargantua, qui est à Paris, bien ardent à l'étude des bonnes lettres et exercices athlétiques, et au vieux bonhomme Grandgousier, son père, qui, après souper, se chauffe les couilles à un beau, clair et grand feu, en attendant des châtaignes à griller sous la cendre, écrit au foyer avec un bâton brûlé d'un bout, dont on tisonne le feu, en faisant à sa femme et à sa famille de beaux contes du temps jadis.

Un des bergers qui gardaient les vignes, nommé Pillot, se transporta vers lui, à cette heure-là et raconta entièrement les excès et pillages que faisait Picrochole, roi de Lerné, en ses terres et domaines, et comment il avait pillé, gâté, saccagé tout le pays, excepté le clos de Seuilly que frère Jean des Entommeures avait sauvé à son honneur, et à présent le dit roi était en la Roche-Clermaud, et là, en grand hâte, se remparait, lui et ses gens.

« Hélas ! hélas ! dit Grandgousier. Qu'est ceci, bonnes gens ? Songé-je, ou si ce qu'on me dit est vrai ? Picrochole, mon ami sincère de tout temps, de toute race et alliance, me vient-il assaillir ? Qui le meut ? qui le point ? qui le conduit ? qui l'a ainsi conseillé ? Ho, ho, ho, ho, ho ! mon Dieu, mon sauveur, aide-moi, inspire-moi, conseille-moi sur ce qui est à faire. Je proteste, je jure devant toi, — ainsi me sois-tu favorable ! — si jamais je fis à lui déplaisir, ni à ses gens dommage, ni à ses terres pillerie ; mais, bien au contraire, je l'ai secouru de gens, d'argent, de faveur et de conseil, en tous les cas où j'ai pu connaître son avantage. Qu'il m'ait donc à ce point outragé, ce ne peut être que par l'esprit malin. Bon Dieu, tu connais mon courage, car à toi rien ne peut être celé. Si par aventure il était devenu fou furieux, et que pour lui réhabiliter son cerveau, tu me l'eusses envoyé ici, donne-moi et de pouvoir et de savoir le rendre au joug de ton saint vouloir par bonne discipline.

» Ho, ho, ho ! mes bonnes gens, mes amis et mes féaux serviteurs, faudra-t-il que je vous embarrasse à m'y aider ? Las ! ma vieillesse ne requérait dorénavant que le repos, et toute ma vie je n'ai rien tant chéri que la paix ; mais il faut, je le vois bien, que main-

tenant je charge de harnais mes pauvres épaules lasses et faibles et qu'en ma main tremblante je prenne la lance et la masse pour secourir et garantir mes pauvres sujets. La raison le veut ainsi ; ici je suis entretenu de leur labeur et je suis nourri de leur sueur, moi, mes enfants et ma famille. Ce nonobstant, je n'entreprendrai la guerre que je n'aie essayé tous les arts et moyens de la paix ; voilà à quoi je me résous. »

Adonc il fit convoquer son conseil et exposa l'affaire telle qu'elle était, et il fut conclu qu'on enverrait quelque homme prudent vers Picrochole lui demander pourquoi il s'était si soudainement départi de son repos et avait envahi des terres auxquelles il n'avait aucun droit ; de plus, qu'on enverrait quérir Gargantua et ses gens, afin de maintenir le pays et de le défendre en ce besoin. Le tout plut à Grandgousier, et il commanda qu'ainsi fut fait.

Il envoya donc sur l'heure le Basque, son laquais, quérir en toute hâte Gargantua, et il lui écrivait comme suit.

CHAPITRE XXIX

La teneur des lettres que Grandgousier écrivait à Gargantua

« La ferveur de tes études requérait que je ne te rappelasse de longtemps de ce philosophique repos, si la confiance de nos amis et anciens confédérés n'eût présentement frustré la sûreté de ma vieillesse. Mais, puisque telle est cette fatale destinée que je sois inquiété par ceux auxquels je me reposais le plus, force m'est de te rappeler au secours des gens et biens qui te sont confiés par droit naturel. Car de même que sont débiles les armes au dehors si le conseil n'est en la maison, de même l'étude est vaine et le conseil

inutile, qui, en temps opportun, n'est exécuté par vertu et réduit à son effet.

Ma délibération n'est de provoquer, mais d'apaiser ; d'assaillir, mais de défendre ; de conquérir, mais de garder les féaux sujets et terres héréditaires, dans lesquelles Picrochole est entré hostilement sans cause ni occasion, et poursuit de jour en jour, sa furieuse entreprise, avec des excès non tolérables à des personnes libres.

Je me suis mis en devoir de modérer sa colère tyrannique, en lui offrant tout ce que je pensais pouvoir lui être en contentement, et par plusieurs fois, j'ai envoyé aimablement devers lui pour entendre en quoi, par qui et comment il se sentait outragé ; mais je n'ai eu d'autre réponse de lui que de défi volontaire, et qu'il prétendait seulement droit de convenance en mes terres. Dont j'ai connu que Dieu éternel l'a laissé au gouvernail de son franc arbitre et propre sens, qui ne peut être que méchant s'il n'est continuellement guidé par la grâce divine, et, pour le contenir en devoir et réduire à connaissance, il me l'a ici envoyé à fâcheuses enseignes.

Aussi, mon fils bien aimé, le plus tôt que faire tu pourras, ayant vu ces lettres, retourne avec diligence secourir non tant moi — ce que toutefois tu dois naturellement par piété filiale — que les tiens, lesquels tu peux sauver et garder par raison. L'exploit sera fait avec la moindre effusion de sang qu'il sera possible, et, si c'est possible, par des moyens plus expédients, précautions et ruses de guerre, nous sauverons toutes les vies et les enverrons, joyeux, à leurs domiciles.

Très cher fils, la paix du Christ, notre rédempteur, soit avec toi,

Salue Ponocrate, Gymnaste et Eudémon de ma part.

Du vingtième de septembre.

Ton père,

Grandgousier

CHAPITRE XXX

Comment Ulrich Gallet fut envoyé vers Picrochole

Les lettres dictées et signées, Grandgousier ordonna qu'Ulrich Gallet, maître de ses requêtes, homme sage et discret, dont, en diverses et contentieuses affaires, il avait éprouvé la vertu et le bon avis, allât vers Picrochole pour lui remontrer ce que par eux il avait été décrété.

Le bonhomme Gallet partit sur l'heure, et, passé le gué, s'informa au meunier de l'état de Picrochole, lequel lui fit réponse que ses gens ne lui avaient laissé ni coq ni poule, et qu'ils s'étaient retranchés en la Roche-Clermaud, et qu'il ne lui conseillait point de passer outre, de peur du guet, car leur fureur était énorme.

Ce qu'il crut facilement, et, pour cette nuit, il hébergea avec le meunier.

Au lendemain matin, il se transporta avec la trompette à la porte du château et demanda aux gardes qu'ils le fissent parler au roi, pour son profit.

Les paroles annoncées au roi, l'autre en consentit aucunement qu'on lui ouvrît la porte, mais il se transporta sur le boulevard et dit à l'ambassadeur :

« Qu'y a-t-il de nouveau ? Que voulez-vous dire ? »

Adonc l'ambassadeur exposa ce qui suit.

CHAPITRE XXXI

La harangue faite par Gallet à Picrochole

« Il ne peut naître entre les humains plus juste cause de douleur que si, du lieu dont ils espéraient par droiture grâce et bienveillance, ils reçoivent ennui et dommage. Et non sans cause — bien que sans raison — plusieurs venus en tel accident ont estimé cette indignité moins tolérable que leur vie propre, et, au cas où ils ne l'ont pu corriger par la force ni par un autre moyen, ils se sont privés eux-mêmes de cette lumière.

Donc ce n'est merveille si le roi Grandgousier, mon maître, est, à ta furieuse et hostile venue, saisi de grand déplaisir et perturbé en son entendement. Ce serait merveille si ne l'avaient ému les excès incomparables qui, en ses terres et contre ses sujets, ont été commis par toi et par tes gens, parmi lesquels aucun exemple d'inhumanité n'a été omis. Ce qui lui est si pénible de soi, par la cordiale affection dont il a toujours chéri ses sujets, que ce ne saurait l'être plus à nul homme mortel. Toutefois, d'estimation humaine, ce lui est plus pénible, en tant que ces griefs et torts ont été faits par toi et les tiens, qui, de toute mémoire et ancienneté, aviez conçu, toi et tes pères, avec lui et tous ses ancêtres une amitié, que vous aviez ensemble, jusqu'à présent, inviolablement maintenue, gardée et entretenue comme sacrée, si bien que, non seulement lui et les siens, mais les nations barbares : Poitevins, Bretons, Manceaux, et ceux qui habitent outre les îles Canaries et Isabella, ont estimé aussi facile de démolir le firmament et d'ériger les abîmes au-dessus des nues que de désemparer votre alliance, et ils l'ont tant redoutée en leurs entreprises qu'ils n'ont jamais osé provoquer, irriter ni endommager l'un par crainte de l'autre.

Il y a plus. Cette amitié sacrée a tant empli ce ciel qu'il y a peu de gens habitant par tout le continent et les îles de l'Océan qui n'aient ambitieusement aspiré à être reçus en celle-ci, selon des pactes conditionnés par vous-mêmes, estimant autant votre confédération que leurs propres terres et domaines. En sorte que, de toute mémoire, il n'a été prince ni ligue tant furieuse ou superbe qui ait osé courir, je ne dis point sur vos terres, mais sur celles de vos confédérés, et si, par conseil précipité, ils ont fait contre eux quelque tentative d'empiètement, ils ont soudain renoncé à leurs entreprises.

Quelle furie donc te meut maintenant, toute alliance brisée, toute amitié foulée, tout droit outrepassé, à envahir hostilement ses terres sans en avoir été par lui ni les siens endommagé, irrité ni provoqué ? Où est la foi ? où est la loi ? où est la raison ? où est l'humanité ? où est la crainte de Dieu ? Crois-tu ces outrages celés aux esprits éternels et au Dieu souverain, qui est la juste rétribution de nos entreprises ? Si tu le crois, tu te trompes, car toutes choses viendront à son jugement. Sont-ce de fatales destinées ou des influences des astres qui veulent mettre fin à tes aises et repos ? Ainsi ont toutes choses leur fin et leur période, et quand elles sont venues à leur point superlatif, elles sont en bas ruinées, car elles ne peuvent longtemps en tel état demeurer. C'est la fin de ceux qui ne peuvent par raison et tempérance modérer leurs fortunes et leurs prospérités.

Mais si ton bonheur en repos était ainsi fixé par le destin et devait maintenant prendre fin, fallait-il que ce fût en incommodant mon roi, celui par lequel tu étais établi ? Si ta maison devait tomber en ruine, fallait-il qu'en sa ruine elle tombât sur les âtres de celui qui l'avait ornée ? La chose est tant hors les bornes de la raison, tant éloignée de tout sens commun qu'à peine peut-elle être conçue par l'entendement humain, et elle demeurera non croyable aux étrangers jusqu'à ce que l'effet assuré et témoigné leur donne à entendre que rien n'est sain ni sacré à ceux qui se sont émancipés de Dieu et de la raison pour suivre leurs affections perverses.

Si quelque tort eût été fait par nous à tes sujets et domaines, s'il eût été porté faveur par nous à ceux qui te sont malveillants, si nous ne t'eussions secouru en tes affaires si par nous ton nom et ton honneur eussent été blessés, ou, pour mieux dire, si l'esprit calomniateur, tentant de te tirer à mal, eût, par fausses apparences et fantômes décevants, mis en ton entendement que nous eussions fait envers toi une chose indigne de notre ancienne amitié, tu devais d'abord t'enquérir de la vérité, puis nous en admonester, et nous eussions tant satisfait ton gré que tu eusses eu l'occasion d'être content. Mais, ô Dieu éternel ! quelle est ton entreprise ? Voudrais-tu comme un tyran perfide, piller ainsi et mettre à sac le royaume de mon maître ? L'as-tu éprouvé si lâche et si stupide, qu'il ne voulût, ou si dépourvu de gens, d'argent, de conseil et d'art militaire, qu'il ne pût résister à tes iniques assauts ?

Pars d'ici présentement, et demain pour tout le jour sois retiré en tes terres, sans faire aucun tumulte ni coup de force par le chemin, et paye mille besants d'or pour les dommages que tu as faits en ces terres. Tu en bailleras la moitié demain, tu paieras l'autre moitié aux ides de mai venant prochainement, nous laissant cependant pour otages les ducs de Tournemoule, de Basdefesses et de Menuail, ainsi que le prince de Grattelles et le vicomte de Morpiaille. »

CHAPITRE XXXII

Comment Grandgousier, pour acheter la paix, fit rendre les fouaces

A ce moment le bonhomme Gallet se tut, mais Picrochole à tous ses propos ne répond autre chose, sinon : « Venez les quérir ! venez les quérir ! Ils ont belle couille, et molle. Ils vous broieront de la fouace ! »

Donc il retourne vers Grandgousier, qu'il trouva à genoux, tête nue, incliné en un petit coin de son cabinet, priant Dieu qu'il voulût amollir la colère de Picrochole et le mettre au point par la raison sans y procéder par la force. Quand il vit le bonhomme de retour, il lui demanda :

« Ha ! mon ami, mon ami, quelles nouvelles m'apportez-vous ? »

— Il n'y a pas d'ordre, dit Gallet : cet homme est tout hors de sens et délaissé de Dieu.

— Voire, mais, dit Grandgousier, mon ami, quelle cause prétend-il de cet excès ?

— Il ne m'a, dit Gallet, cause quelconque exposée sinon qu'il m'a dit en colère quelques mots de fouaces. Je ne sais si l'on n'aurait point fait outrage à ses fouaciers.

— Je veux bien, dit Grandgousier, l'entendre avant de délibérer autre chose sur ce qui serait à faire. »

Alors il manda savoir de cette affaire, et trouva pour vrai qu'on avait pris par force quelques fouaces de ses gens, et que Marquet avait reçu un coup de tribard sur la tête ; toutefois que le tout avait été bien payé, et que le dit Marquet avait le premier blessé Frogier de son fouet par les jambes, et il sembla à tout son conseil qu'avec toutes ses forces il se devait défendre.

Ce nonobstant Grandgousier dit :

« Puisqu'il n'est question que de quelques fouaces, j'essaierai de le contenter, car il me déplaît par trop de soulever la guerre. »

Donc il s'enquit combien on avait pris de fouaces,

et, entendant dire quatre ou cinq douzaines, il commanda qu'on en fît charretées en cette nuit, et que l'une fût de fouaces faites avec du beau beurre, de beaux jaunes d'œufs, du beau safran et de belles épices, pour être distribuées à Marquet, et que, pour ses dommages et intérêts, il lui donnait sept cent mille trois philippus pour payer les barbiers qui l'auraient pansé, et qu'en outre il lui donnait la métairie de la Pomardière, à perpétuité franche, pour lui et les siens.

Pour conduire et passer le tout, fut envoyé Gallet, lequel par le chemin fit cueillir près de la Saulaie force grands rameaux de cannes et de roseaux, et en fit armer autour leurs charrettes et chacun des charretiers. Lui-même en tint un en main, voulant par là donner à connaître qu'ils ne demandaient que paix et qu'ils venaient pour l'acheter.

Venus à la porte, ils demandèrent à parler à Picrochole de la part de Grandgousier. Picrochole ne voulut oncques les laisser entrer, ni aller leur parler, et manda qu'il était empêché, mais qu'ils dissent ce qu'ils voudraient au capitaine Touquedillon, lequel montait sur affût quelque pièce sur les murailles.

Donc le bonhomme lui dit :

« Seigneur, pour vous retirer de tout ce débat et ôter toute excuse que vous ne retourniez en notre alliance première, nous vous rendons présentement les fouaces dont est la controverse. Nos gens en prirent cinq douzaines ; elles furent très bien payées. Nous aimons tant la paix que nous en rendons cinq charrettes, desquelles celle-ci sera pour Marquet qui se plaint le plus. De plus, pour le contenter entièrement, voilà sept cent mille trois philippus que je lui livre, et pour l'intérêt auquel il pourrait prétendre, je lui cède la métairie de la Pomardière, à perpétuité possédable pour lui et les siens, en franc aloi — voici le contrat de transaction — et, pour Dieu ! vivons dorénavant en paix, et retirez-vous en vos terres joyeusement, cédant cette place-ci, en laquelle vous n'avez droit quelconque, comme bien vous l'avouez, et amis comme avant. »

Touquedillon raconta le tout à Picrochole, et de plus en plus envenima son courage, en lui disant :

« Ces rustres ont belle peur. Pardieu ! Grandgousier se conchie, le pauvre buveur ! Ce n'est pas son art d'aller en guerre, mais oui bien de vider les flacons. Je suis d'opinion que nous retenions ces fouaces et l'argent, et que nous hâtions, quant au reste, de nous retrancher ici et de poursuivre notre fortune. Mais pensent-ils bien avoir affaire à une dupe, de nous repaître de ces fouaces ? Voilà ce que c'est. Le bon traitement et la grande familiarité que vous leur avez auparavant tenue vous ont rendu à leurs yeux méprisable. Oignez vilain, il vous poindra. Poignez vilain, il vous oindra.

— Çà, çà, çà, dit Picrochole, saint Jacques ! ils en auront : faites ainsi que vous avez dit.

— Je vous veux avertir d'une chose, dit Touquedillon. Nous sommes ici assez mal ravitaillés et maigrement pourvus des harnais de gueule. Si Grandgousier nous mettait le siège, dès à présent je m'en irais faire arracher toutes mes dents, pour que trois seulement me restassent, aussi bien à vos gens qu'à moi ; avec celles-ci nous n'avancerons que trop à manger nos munitions.

— Nous n'aurons que trop de mangeaille, dit Picrochole. Sommes-nous ici pour manger ou batailler ?

— Pour batailler, à la vérité, dit Touquedillon ; mais de la panse vient la danse, et où faim règne force est exilée.

— Assez jasé ! dit Picrochole. Saisissez ce qu'ils ont amené. »

Donc ils prirent l'argent et les fouaces, les bœufs et les charrettes, et les renvoyèrent sans mot dire, sinon qu'ils n'approchassent plus de si près, pour la cause qu'on leur dirait demain.

Ainsi, sans rien faire, ils retournèrent devers Grandgousier et lui contèrent le tout, ajoutant qu'il n'était aucun espoir de les tirer à la paix, sinon avec une vive et forte guerre.

CHAPITRE XXXIII

Comment certains gouverneurs de Picrochole, par conseil précipité, le mirent au dernier péril

Les fouaces détroussées, comparurent devant Picrochole les duc de Menuail, comte Spadassin et capitaine Merdaille, et ils lui dirent :

« Sire, aujourd'hui nous vous rendons le plus heureux, plus chevaleresque prince qui oncques fut depuis la mort d'Alexandre de Macédoine.

— Couvrez, couvrez-vous, dit Picrochole.

— Grand merci, dirent-ils, Sire, nous sommes à notre devoir. Le moyen est tel : vous laisserez ici quelque capitaine en garnison avec une petite bande de gens, pour garder la place, laquelle nous semble assez forte, tant par nature que par les remparts faits à votre invention. Vous répartirez votre armée en deux, comme vous l'entendez le mieux.

L'une partie ira ruer sur ce Grandgousier et ses gens. Par elle il sera de prime abord facilement déconfit. Là vous recouvrerez de l'argent à tas, car le vilain a du comptant. Vilain, disons-nous, parce qu'un noble prince n'a jamais un sou. Thésauriser est fait de vilain.

L'autre partie, cependant, tirera vers Aunis, Saintonge, Angoumois et Gascogne, ensemble Périgord, Médoc et Landes. Sans résistance, ils prendront villes, châteaux et forteresses. A Bayonne, à Saint-Jean-de-Luz et Fontarabie, vous saisirez toutes les nefs, et, côtoyant vers Galice et Portugal, vous pillerez tous les lieux maritimes, jusqu'à Lisbonne, où vous aurez renfort de tout équipage requis à un conquérant. Par le corbleu ! Espagne se rendra, car ce ne sont que rustres ! Vous passerez par le détroit de Séville, et là vous érigerez deux colonnes plus magnifiques que celles d'Hercule, pour la perpétuelle mémoire de votre nom, et sera nommé ce détroit-ci la mer Picrocholine.

Passée la mer Picrocholine, voici Barberousse qui se rend votre esclave...

— Je le prendrai à merci, dit Picrochole.

— Voire, dirent-ils, pourvu qu'il se fasse baptiser. Et vous attaquerez les royaumes de Tunis, de Bizerte, Alger, Bône, Corène, hardiment toute la Barbarie. Passant outre, vous retiendrez en votre main Majorque, Minorque, la Sardaigne, la Corse et autres îles de la mer Ligurienne et les Baléares. Côtoyant à gauche, vous dominerez toute la Gaule Narbonnaise, la Provence et les Allobroges, Gênes, Florence, Lucques, et à Dieu soit ! Rome. Le pauvre Monsieur du Pape meurt déjà de peur.

— Par ma foi, dit Picrochole, je ne lui baiserai plus sa pantoufle.

— Prise l'Italie, voilà Naples, la Calabre, les Pouilles et la Sicile toutes à sac, et Malte avec. Je voudrais bien que les plaisants chevaliers, je dis Rhodiens, vous résistassent, pour voir leur urine.

— J'irais, dit Picrochole, volontiers à Lorette.

— Rien, rien, dirent-ils, ce sera au retour. De là nous prendrons Candie, Chypre, Rhodes et les îles Cyclades et donnerons sur la Morée. Nous la tenons. Saint Treignan, Dieu garde Jérusalem ! car le Soudan n'est pas comparable à votre puissance !

— Je ferai donc, dit-il, bâtir le temple de Salomon ?

— Non, dirent-ils, pas encore, attendez un peu. Ne soyez jamais tant soudain à vos entreprises. Savez-vous ce que disait Octavien Auguste ? *Festina lente.* Il vous convient premièrement d'avoir l'Asie Mineure, Carie, Lycie, Pamphylie, Cilicie, Lydie, Phrygie, Mysie, Bithynie, Carrasie, Adalie, Samagarie, Castamoune, Luga, Sébasta, jusqu'à l'Euphrate.

— Verrons-nous, dit Picrochole, Babylone et le mont Sinaï ?

— Il n'est, dirent-ils, plus besoin pour cette heure. N'est-ce pas assez de tracas, oui-da, d'avoir traversé la mer Caspienne, chevauché les deux Arménies et les trois Arabies ?

— Par ma foi, dit-il, nous sommes affolés. Ha, pauvres gens !

— Quoi ? dirent-ils.

— Que boirons-nous par ces déserts ? Car Julien Auguste et toute son armée y moururent de soif, comme l'on dit.

— Nous avons déjà, dirent-ils, donné ordre à tout.

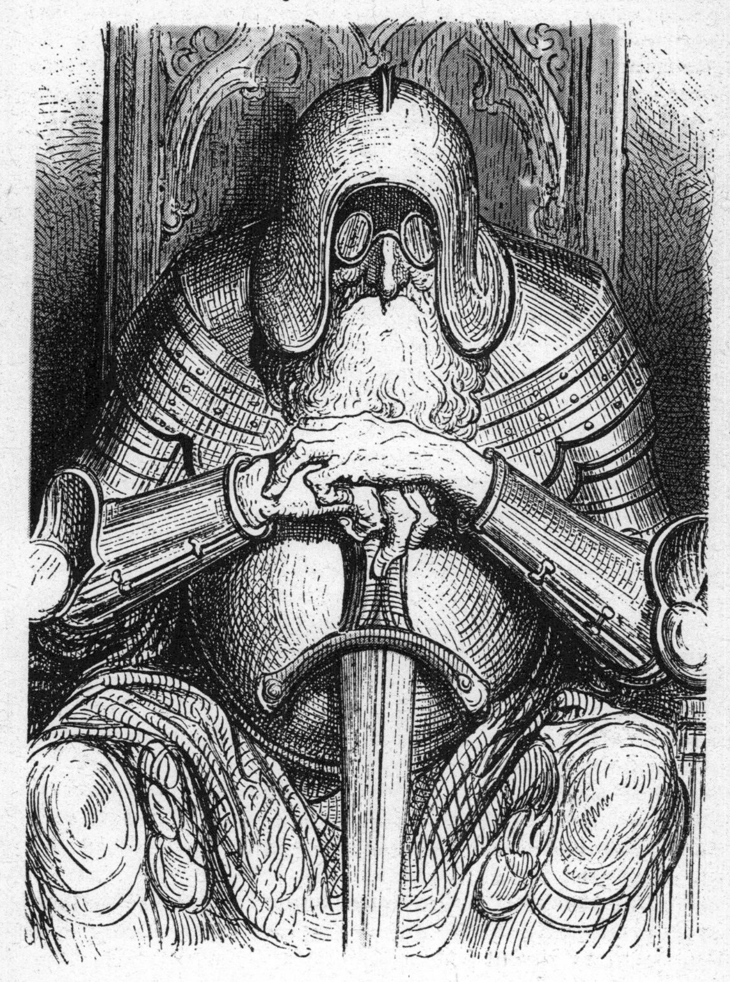

Par la mer de Syrie vous avez neuf mille quatorze grandes nefs, chargées des meilleurs vins du monde ; elles arrivent à Jaffa. Là se sont trouvés deux cent vingt mille chameaux et seize cents éléphants, lesquels vous aurez pris à une chasse environ Sigeilmès, lorsque vous entrâtes en Libye, et par surcroît vous eûtes toute la caravane de La Mecque. Ne vous fournirent-ils pas du vin à suffisance ?

— Voire, mais, dit-il, nous ne bûmes point frais.

— Par la vertu, dirent-ils, non pas d'un petit poisson, un preux, un conquérant, un prétendant, et aspirant à l'empire universel, ne peut toujours avoir ses aises. Dieu soit loué de ce que vous êtes venus, vous et vos gens, saufs et entiers jusqu'au fleuve du Tigre !

— Mais, dit-il, que fait cependant la part de notre armée qui déconfit ce vilain buveur de Grandgousier ?

— Ils ne chôment pas, dirent-ils ; nous les rencontrerons tantôt. Ils vous ont pris Bretagne, Normandie, Flandres, Hainaut, Brabant, Artois, Hollande, Zélande ; ils ont passé le Rhin par-dessus le ventre des Suisses et Lansquenets, et une partie d'entre eux a dompté le Luxembourg, la Lorraine, la Champagne, la Savoie jusqu'à Lyon, auquel lieu ils ont trouvé vos garnisons retournant des conquêtes navales de la mer Méditerranée, et se sont rassemblés en Bohême, après avoir mis à sac Souabe, Wurtemberg, Bavière, Autriche, Moravie et Styrie. Puis ils ont donné farouchement ensemble sur Lubeck, Norvège, le Reich de Suède, Dace, Gothie, Groenland, les Estrelins, jusqu'à la mer Glaciale. Cela fait, ils conquirent les îles Orcades, et subjuguèrent Ecosse, Angleterre et Irlande. De là, naviguant par la mer Sableuse et par les Sarmates, ils ont vaincu et dompté Prusse, Pologne, Lithuanie, Russie, Valachie, la Transylvanie et Hongrie, Bulgarie, Turquie, et ils sont à Constantinople.

— Allons, dit Picrochole, nous rendre vers eux au plus tôt, car je veux être aussi empereur de Trébizonde. Ne tuerons-nous pas tous ces chiens turcs et mahométans ?

— Que diable, dit-il, ferons-nous donc ? Et vous donnerez leurs biens et leurs terres à ceux qui vous auront servi honnêtement.

— La raison, dit-il, le veut, c'est équité. Je vous donne la Caramanie, la Syrie et toute la Palestine.

— Ha ! dirent-ils, Sire, c'est bien à vous, grand merci ! Dieu vous fasse toujours bien prospérer ! »

Là était présent un vieux gentilhomme éprouvé en divers hasards et vrai routier de guerre, nommé Echépron, lequel en entendant ces propos dit :

« J'ai bien peur que toute cette entreprise soit semblable à la farce du pot au lait, dont un cordonnier se faisait riche en rêverie, puis n'eut, le pot cassé, de quoi dîner. A quoi prétendez-vous par ces belles conquêtes ? Quelle sera la fin de tant de travaux et traverses ?

— Ce sera, dit Picrochole, que, retournés, nous nous reposerons à nos aises. »

Sur quoi Echépron dit :

« Et si par aventure jamais vous n'en retournez, car le voyage est long et périlleux, n'est-ce pas mieux que dès maintenant nous nous reposions, sans nous mettre en ces hasards ?

— Oh ! dit Spadassin, pardieu, voici un bon rêveur ! Mais allons nous cacher au coin de la cheminée, et là passons avec les dames notre vie et notre temps à enfiler des perles ou à filer, comme Sardanapale. Qui ne s'aventure pas n'a cheval, ni mule, comme dit Salomon.

— Qui trop s'aventure, dit Echépron, perd cheval et mule, répondit Malcon.

— Baste ! dit Picrochole, passons outre. Je ne crains que ces diables de légions de Grandgousier. Cependant que nous sommes en Mésopotamie, s'ils nous donnaient sur la queue, quel remède ?

— Très bon, dit Merdaille. Une belle petite commission, laquelle vous enverrez aux Moscovites, vous mettra en camp pour un moment quatre cent mille combattants d'élite. Oh ! si vous m'y faites votre lieutenant, je tuerais un peigne pour un mercier ! Je mors, je rue, je frappe, j'attrape, je tue, je renie !

— Sus, sus, dit Picrochole, qu'on dépêche tout, et qui m'aime me suive ! »

CHAPITRE XXXIV

Comment Gargantua laissa la ville de Paris, pour secourir son pays, et comment Gymnaste rencontra les ennemis

A cette même heure, Gargantua, qui était sorti de Paris aussitôt lues les lettres de son père, sur sa grande jument venant, avait déjà passé le pont de la Nonnain, lui, Ponocrate, Gymnaste et Eudémon, lesquels pour le suivre avaient pris des chevaux de poste ; le reste de son train venait à justes journées, amenant tous ses livres et bagages philosophiques.

Lui, arrivé à Parilly, fut averti par le métayer de Gouguet comment Picrochole s'était retranché à la Roche-Clermaud et avait envoyé le capitaine Tripet, avec une grosse armée, assaillir le bois de Vède et Vaugaudry, et qu'ils avaient couru la poule jusqu'au Pressoir-Billard, et que c'était chose étrange et difficile à croire des excès qu'ils faisaient par le pays. Tant qu'il lui fit peur, et qu'il ne savait bien que dire ni que faire. Mais Ponocrate lui conseilla qu'ils se transportassent vers le seigneur de la Vauguyon qui de tous temps avait été leur ami et confédéré et que par lui ils seraient mieux avisés de toutes affaires, ce qu'ils firent incontinent. Et ils le trouvèrent en bonne résolution de les secourir, et il fut d'opinion qu'il enverrait quelqu'un de ses gens pour découvrir le pays et savoir en quel état étaient les ennemis, afin d'y procéder par conseil pris selon la forme de l'heure présente. Gymnaste s'offrit d'y aller ; mais il fut conclu que, pour le meilleur, il menât avec lui quelqu'un qui connût les voies et détours et les rivières d'alentour.

Donc partirent lui et Prélinguand, écuyer de Vauguyon, et sans effroi ils épièrent de tous côtés.

Cependant Gargantua se rafraîchit et reput quelque peu avec ses gens, et fit donner à sa jument un picotin d'avoine : c'étaient soixante-quatorze muids trois boisseaux.

Gymnaste et son compagnon tant chevauchèrent qu'ils rencontrèrent les ennemis, tout épars et mal en ordre,

pillant et dérobant tout ce qu'ils pouvaient et, de tant loin qu'ils l'aperçurent, ils accoururent sur lui à la foule, pour le détrousser. Alors il leur cria :

« Messieurs, je suis un pauvre diable ; je vous requiers qu'ayez de moi merci. J'ai encore quelque écu ;

nous le boirons, car c'est *aurum potabile*, et que ce cheval-ci soit vendu pour payer ma bienvenue. Cela fait, retenez-moi des vôtres, car jamais homme ne sut mieux prendre, larder, rôtir et apprêter, voire, pardieu ! démembrer et accommoder poule que moi qui suis ici, et pour mon *proficiat*, je bois à tous bons compagnons. »

Lors il découvrit sa gourde, et sans mettre le nez dedans, il buvait assez honnêtement. Les marouflles le regardaient ouvrant la gueule d'un grand pied, et tirant les langues comme des lévriers, en attente de boire après ; mais Tripet, le capitaine, sur ce point accourut voir ce que c'était. Gymnaste lui offrit sa bouteille en disant :

— Tenez, capitaine, buvez-en hardiment ; j'en ai fait l'essai, c'est du vin de la Foye-Monjault.

— Quoi, dit Tripet, ce gaillard-ci se gausse de nous. Qui es-tu ?

— Je suis, dit Gymnaste, un pauvre diable.

— Ha ! dit Tripet, puisque tu es un pauvre diable, c'est une raison que tu passes outre, car tout pauvre diable passe partout sans péage ni gabelle, mais ce n'est pas coutume que de pauvres diables soient si bien montés. Pourtant, monsieur le diable, descendez que j'aie le coussin, et s'il ne me porte bien, vous, maître diable, me porterez, car j'aime fort qu'un tel diable m'emporte. »

CHAPITRE XXXV

Comment Gymnaste souplement tua le capitaine Tripet et autres gens de Picrochole

Ces mots entendus, certains d'entre eux commencèrent à avoir frayeur, et ils se signaient de toutes mains, pensant que c'était un diable déguisé. Et quelqu'un d'entre eux nommé Bon Joan, capitaine des Francs-Taupins, tira son flacon de voyage de sa braguette et cria assez haut :

« *Agios ho Theos !* Si tu es de Dieu, alors parle, si tu es de l'Autre, alors va-t'en. »

Et il ne s'en allait pas, ce qu'entendirent plusieurs de la bande, et ils partaient de la compagnie, Gymnaste notant et considérant le tout.

Pourtant il fit semblant de descendre de cheval, et quand il fut pendant du côté du montoir, il fit souplement le tour de l'étrivière, son épée bâtarde au côté, et, par-dessous passé, se lança en l'air, et se tint des deux pieds sur la selle, le cul tourné vers la tête du cheval ; puis il dit : « Mon affaire va mal. »

Alors, en tel point qu'il était, il fit la gambade sur un pied, et tournant à gauche, ne manqua oncques de rencontrer sa propre assiette, sans en rien varier, ce dont Tripet dit :

« Ha ! je ne ferai pas celui-là pour cette heure, et pour cause.

— Bien, dit Gymnaste, j'ai failli ; je vais défaire ce saut. »

Alors, par grande force et agilité, il fit en tournant à droite, la gambade comme devant. Cela fait, il mit le pouce de la dextre sur l'arçon de la selle, et leva tout le corps en l'air se soutenant tout le corps sur le muscle et le nerf du dit pouce, et ainsi se tourna trois fois. A la quatrième, se renversant tout le corps sans toucher à rien, il se guinda entre les deux oreilles du cheval, soudant tout le corps en l'air sur le pouce de la senestre, et en cet état fit le tour du moulinet. Puis, frappant du plat de la main dextre sur le milieu de la selle, il se donna un tel élan qu'il s'assit sur la croupe comme font les demoiselles.

Cela fait, il passa tout à l'aise la jambe droite pardessus la selle, et se mit en état de chevaucher sur la croupe :

« Mais, dit-il, mieux vaut que je me mette entre les arçons. »

Alors s'appuyant sur les pouces des deux mains à la croupe devant soi, il se renversa cul sur tête en l'air, et se trouva entre les arçons en bon maintien ; puis d'un soubresaut il leva tout le corps en l'air, et se tint ainsi pieds joints entre les arçons, et là il tournoya plus de cent tours, les bras étendus en croix, et il criait, ce faisant, à haute voix :

« J'enrage, diables, j'enrage, j'enrage ; tenez-moi, diables, tenez-moi, tenez. »

Tandis qu'il voltigeait ainsi, les maroufles en grand ébahissement disaient l'un à l'autre :

« Par la mère de Dieu, c'est un lutin ou un diable ainsi déguisé. *Ab hoste maligno libera nos, Domine !* »

Et ils fuyaient en déroute, regardant derrière eux comme un chien qui emporte un plumail.

Alors Gymnaste, voyant son avantage, descend de cheval, dégaine son épée, et à grands coups charge sur les plus huppés, et il les ruait bas par grands monceaux, blessés, percés et frappés à mort, sans que nul lui résistât, pensant que c'était un diable affamé, tant par les merveilleux voltigements qu'il avait faits que par les propos que lui avait tenus Tripet, en l'appelant *pauvre diable,* si ce n'est que Tripet en trahison, lui voulut fendre la cervelle de son épée de lansquenet ; mais il était bien armé, et de ce coup il ne sentit que le poids ; et, soudain se tournant, il lança un estoc volant au dit Tripet, et cependant que celui-ci se couvrait en haut, il lui tailla d'un coup l'estomac, le colon et la moitié du foie, ce dont il tomba par terre, et, tombant, rendit plus de quatre potées de soupe, et l'âme mêlée parmi les soupes.

Cela fait, Gymnaste se retira, considérant qu'il ne faut jamais poursuivre les coups du hasard jusqu'à leur période, et qu'il convient à tous chevaliers de révérentement traiter leur bonne fortune, sans la molester ni tourmenter ; et, montant sur son cheval, il lui donne des éperons, tirant droit son chemin vers le Vauguyon, et Prélinguand avec lui.

« Qu'est-ce là, dit Gargantua ; nous jetez-vous ici des grains de raisins ? La vendange vous coûtera cher ! » pensant de vrai que le boulet était un grain de raisin.

Ceux qui étaient dans le château s'amusant au pillage, en entendant le bruit, coururent aux tours de forteresse, et lui tirèrent plus de neuf mille vingt-cinq

CHAPITRE XXXVI

Comment Gargantua démolit le château du Gué de Vède, et comment ils passèrent le gué

Dès qu'il fut arrivé, il raconta l'état dans lequel il avait trouvé les ennemis et le stratagème qu'il avait fait, lui seul, contre toute leur troupe, affirmant qu'ils n'étaient que marauds, pillards et brigands, ignorants de toute discipline militaire, et qu'ils se missent en route hardiment, car il leur serait très facile de les assommer comme des bêtes.

Alors Gargantua monta sur sa grande jument, accompagné comme nous avons dit avant, et, trouvant en son chemin un haut et grand arbre — lequel communément on nommait l'arbre de saint Martin, parce qu'ainsi était un bourdon que jadis saint Martin y planta — il dit :

« Voici ce qu'il me fallait. Cet arbre me servira de bourdon et de lance. »

Et il l'arracha facilement de terre et en ôta les rameaux, et le prépara pour son plaisir.

Cependant sa jument pissa pour se lâcher le ventre, mais ce fut en telle abondance qu'elle en fit sept lieues de déluge ; et tout le pissat dériva au gué de Vède, et tant l'enfla vers le fil de l'eau que toute cette bande des ennemis fut en grande horreur noyée, excepté quelques-uns qui avaient pris le chemin vers les coteaux à gauche.

Gargantua, venu à l'endroit du bois de Vède, fut avisé par Eudémon qu'il était dans le château quelque reste des ennemis. Pour le savoir Gargantua s'écria tant qu'il put :

« Etes-vous là ou n'y êtes-vous pas ? Si vous y êtes, n'y soyez plus ; si vous n'y êtes, je n'ai que dire. »

Mais un ribaud canonnier, qui était au machicoulis, lui tira un coup de canon et l'atteignit par la tempe droite furieusement ; toutefois il ne lui fit pas plus de mal pour cela que s'il lui eût jeté une prune :

coups de fauconneaux et arquebuses, visant tous à sa tête, et ils tiraient si menu contre lui qu'il s'écria :

« Ponocrate, mon ami, ces mouches m'aveuglent ; baillez-moi quelque rameau de ces saules pour les chasser », pensant des balles de plomb et des pierres d'artillerie que c'étaient des mouches.

Ponocrate l'avisa que ce n'étaient d'autres mouches que les coups d'artillerie qu'on tirait du château. Alors il choqua de son grand arbre contre le château, et abattit à grands coups et tours et forteresse, et ruina tout par terre. Par ce moyen ils furent tous rompus et ceux qui y étaient mis en pièces.

Partant de là, ils arrivèrent au pont du moulin et trouvèrent tout le gué couvert de corps morts, en telle foule qu'ils avaient engorgé le cours du moulin, et c'étaient ceux qui avaient péri au déluge urinal de la jument. Là ils furent en réflexion comment ils pourraient passer, vu l'empêchement de ces cadavres. Mais Gymnaste dit :

« Si les diables y ont passé, j'y passerai fort bien.

— Les diables, dit Eudémon, y ont passé pour en emporter les âmes damnées.

— Saint Treignan ! dit Ponocrate, par conséquence nécessaire il y passera donc.

— Voire, voire, dit Gymnaste, ou je demeurerai en chemin.

Et donnant des éperons à son cheval, il passa franchement outre, sans que jamais son cheval eût frayeur des corps morts, car il l'avait accoutumé, selon la doctrine d'Elien, à ne craindre les âmes ni les corps morts, — non en tuant les gens, comme Diomède tuait les Thraces et comme Ulysse mettait les corps de ses ennemis aux pieds de ses chevaux, ainsi que le raconte Homère, — mais en lui mettant un simulacre parmi son foin et en le faisant ordinairement passer sur celui-ci quand il lui baillait son avoine.

Les trois autres le suivirent sans faillir, excepté Eudémon, dont le cheval enfonça le pied droit jusqu'au genou dans la panse d'un gros et gras vilain qui s'était là noyé à l'envers, et ne le pouvait tirer dehors. Il demeurait ainsi empêtré jusqu'à ce que Gargantua, du bout de son bâton, enfonçât le reste des tripes du vilain en l'eau cependant que le cheval levait le pied, et — ce qui est chose merveilleuse en hippiatrique — le dit cheval fut guéri d'un suros qu'il avait à ce pied par l'attouchement des boyaux de ce gros maroufle.

CHAPITRE XXXVII

Comment Gargantua, se peignant, faisait tomber de ses cheveux les boulets d'artillerie

Sortis de la rive de Vède, peu de temps après ils abordèrent au château de Grandgousier, qui les attendait en grand désir. A sa venue, ils le festoyèrent à

tour de bras ; jamais on ne vit gens plus joyeux, car *Supplementum, supplementi chronicorum* dit que Gargamelle y mourut de joie. Je n'en sais rien pour ma part, et bien peu me soucie ni d'elle ni d'autre. La vérité fut que Gargantua, se rafraîchissant d'habillements et se coiffant de son peigne — qui était grand de sept

« Pourquoy ? dist Gargantua, ilz sont bons tout ce mois. » Et, tirant le bourdon, ensemble enleva le pellerin & le mangeoit très bien. (Livre I, Chapitre XXXVIII.)

cannes, tout appointé de grandes dents d'éléphants toutes entières —, faisait tomber à chaque coup plus de sept balles de boulets qui lui étaient demeurés entre les cheveux à la démolition du bois de Vède.

Ce que voyant, Grandgousier, son père, pensait que c'étaient des poux, et il lui dit : « Vraiment, mon bon fils, nous as-tu apporté jusqu'ici des éperviers de Montaigu ? Je n'entendais pas que là tu fisses résidence. »

Alors Ponocrate répondit :

« Seigneur, ne pensez pas que je l'aie mis au collège de pouillerie qu'on nomme Montaigu ? Je l'eusse mieux aimé mettre entre les gueux de Saint-Innocent pour l'énorme cruauté et vilenie que j'y ai connues, car beaucoup mieux sont traités les forçats parmi les Maures et les Tartares, les meurtriers en la prison criminelle, voire certes les chiens en notre maison que ne sont ces malotrus au dit collège, et si j'étais roi de Paris, le diable m'emporte si je ne mettais le feu dedans et faisais brûler et principal et régents, qui endurent que cette inhumanité soit exercée devant les yeux. »

Lors, levant un de ces boulets, il dit :

« Ce sont des coups de canon que votre fils Gargantua a reçus naguère en passant devant le bois de Vède par la trahison de vos ennemis. Mais ils en eurent une telle récompense qu'ils ont tous péri dans la ruine du château, comme les Philistins par l'ingéniosité de Samson, et ceux qu'écrasa la tour de Siloé, dont il est écrit (*Luc*, XIII). Je suis d'avis que nous poursuivions ceux-ci, cependant que la chance est pour nous, car l'occasion a tous ses cheveux au front. Quand elle est passée outre, vous ne la pouvez plus rappeler : elle est chauve par le derrière de la tête, et jamais plus elle ne retourne.

— Vraiment, dit Grandgousier, ce ne sera pas à cette heure, car je veux festoyer pour ce soir, et soyez les très bienvenus ! »

Cela dit, on apprêta le souper, et de surcroît furent rôtis seize bœufs, trois génisses, trente-deux veaux, soixante-trois chevreaux de lait, quatre-vingt-quinze moutons, trois cents gorets de lait à beau moût, deux cent vingt perdrix, sept cents bécasses, quatre cents chapons de Loudunais et Cornouailles, six mille poulets et autant de pigeons, six cents gélinottes, quatorze cents levrauts, trois cent trois outardes, et mille sept cents chaponneaux. De venaison l'on ne put tant recouvrer soudain, fors onze sangliers qu'envoya l'abbé de Turpenay, et dix-huit bêtes fauves que donna le seigneur de Grandmont ; ainsi que cent quarante faisans qu'envoya le seigneur des Essars, et quelques douzaines de ramiers, d'oiseaux de rivière, de sarcelles, butors, courlis, pluviers, francolins, cravants, chevaliers-gambettes, vannereaux, tadornes, spatules, hérons tachetés, héronneaux, foulques aigrettes, cigognes, canepetières, oranges flamants qui sont phénicoptères, terrigoles, poules d'Inde, force couscous et renfort de potages.

Sans point de faute, abondance de vivres y était, et ils furent apprêtés honnêtement par Fripesauce, Hochepot et Pilleverjus, cuisiniers de Grandgousier. Jeannot, Miquel et Verrenet apprêtèrent fort bien à boire.

CHAPITRE XXXVIII

Comment Gargantua mangea en salade six pèlerins

Le propos requiert que nous racontions ce qu'il advint à six pèlerins qui venaient de Saint-Sébastien près de Nantes, et qui, pour s'héberger cette nuit-là, de peur des ennemis, s'étaient mussés au jardin sur les tiges de pois, entre les choux et les laitues.

Gargantua se trouva altéré et demanda si l'on pourrait trouver des laitues pour faire une salade, et entendant dire qu'il y en avait des plus belles et grandes du pays, car elles étaient grandes comme des pruniers ou des noyers, il y voulut aller lui-même, et il en apporta dans sa main ce que bon lui sembla ; il emporta du même coup les six pèlerins, lesquels avaient si grand' peur qu'ils n'osaient ni parler ni tousser.

Les lavant donc premièrement en la fontaine, les pèlerins disaient à voix basse, l'un à l'autre :

« Que faut-il faire ? Nous nous noyons ici entre les

laitues. Parlerons-nous ? Mais si nous parlons, il nous tuera comme espions. »

Et, comme ils délibéraient ainsi, Gargantua les mit avec ses laitues dans un plat de la maison, grand comme la tonne de Cîteaux, et, avec de l'huile, du vinaigre et du sel, il les mangeait pour se rafraîchir avant de souper, et il avait déjà engoulé cinq des pèlerins. Le sixième était dans le plat, caché sous une laitue, excepté son bourdon qui apparaissait au-dessus ; Grandgousier, le voyant, dit à Gargantua :

« Je crois que c'est là une corne de limaçon ; ne le mangez point.

— Pourquoi ? dit Gargantua ; ils sont bons tout ce mois. »

Et tirant le bourdon, il leva du même coup le pèlerin, et il le mangeait très bien. Puis il but un horrible trait de vin pineau, et ils attendirent que l'on apprêtât le souper.

Les pèlerins, ainsi dévorés, se tirèrent hors des meules de ses dents le mieux qu'ils purent faire, et ils pensaient qu'on les avait mis en quelque basse fosse des prisons ; et lorsque Gargantua but le grand trait, ils crurent être noyés dans sa bouche, et le torrent du vin les emporta presque au gouffre de son estomac ; toutefois sautant avec leurs bourdons comme font les Michelots, ils se mirent en franchise à l'orée des dents. Mais par malheur l'un deux, tâtant avec son bourdon le pays, pour savoir s'ils étaient en sûreté, frappa rudement au défaut d'une dent creuse et férut le nerf de la mandibule, ce qui fit une très forte douleur à Gargantua, lequel commença à crier de rage qu'il endurait. Pour donc se soulager du mal, il fit apporter son cure-dent, et, sortant vers le noyer à corneilles, vous dénicha messieurs les pèlerins.

Car il attrapait l'un par les jambes, l'autre par les épaules, l'autre par la besace, l'autre par la poche, l'autre par l'écharpe, et le pauvre hère qui l'avait féru du bourdon, il l'accrocha par la braguette ; toutefois ce lui fut grand'chance, car il perça une bosse chancreuse qui le martyrisait depuis le temps où il avait passé Ancenis.

Les pèlerins ainsi dénichés s'enfuirent à travers les plants de vigne à beau trot, et la douleur s'apaisa.

A cette heure-là il fut appelé par Eudémon pour souper, car tout était prêt :

« Je m'en vais donc, dit-il, pisser mon malheur. »

Lors il pissa si copieusement que l'urine coupa le chemin aux pèlerins, qui furent contraints de passer la grande rivière. Passant de là par l'orée de la touche en plein chemin, ils tombèrent tous, excepté Fournillier, en une trappe qu'on avait faite pour prendre les loups à la traîne, d'où ils s'échappèrent moyennant l'industrie du dit Fournillier, qui rompit tous les lacs et cordages. Sortis de là pour le reste de la nuit, ils couchèrent en une cabane près du Coudray, et là ils furent réconfortés de leur malheur par les bonnes paroles d'un de leur compagnie, nommé Lasdaller, lequel leur remontra que cette aventure avait été prédite par David Psalmiste :

« *Cum exsurgerent homines in nos, forte vivos deglutissent nos,* quand nous fûmes mangés en salade au grain de sel. *Cum irasceretur furor eorum in nos, forsitan aqua absorbuisset nos,* quand il but le grand trait. *Torrentem pertransivit anima nostra,* quand nous passâmes la grande rivière. *Forsitan pertransisset anima nostra aquam intolerabilem,* de son urine dont il coupa le chemin. *Benedictus Dominus, qui non dedit nos in captionem dentibus eorum. Anima nostra, sicut passer erepta est de laqueo venantium,* quand nous tombâmes en la trappe. *Laqueus contritus est,* par Fournillier, *et nos liberati sumus. Adjutorium nostrum,* etc. »

CHAPITRE XXXIX

Comment le moine fut festoyé par Gargantua et des beaux propos qu'il tint en soupant

Quand Gargantua fut à table, et que la première pointe des morceaux fût bâfrée, Grandgousier commença de raconter la source et la cause de la guerre mue entre lui et Picrochole, et vint au point de narrer comment frère Jean des Entommeures avait triomphé à la défense du clos de l'abbaye, et le loua au-dessus des prouesses de

Camille, Scipion, Pompée, César et Thémistocle. Alors Gargantua requit qu'il fût sur l'heure envoyé quérir, afin qu'avec lui on consultât de ce qu'il y avait à faire. Par leur volonté son maître d'hôtel l'alla quérir et l'amena joyeusement avec son bâton de croix sur la mule de Grandgousier. Quand il fut venu, mille caresses, mille embrassements, mille bonjours furent donnés :

« Hé, frère Jean, mon ami, frère Jean, mon grand cousin, frère Jean, de par le diable, l'accolade, mon ami !

— A moi, l'embrassade !

— Cza, couillon, que je t'éreinte à force de t'accoler ! »

Et frère Jean de rigoler : jamais homme ne fut tant courtois ni gracieux.

« Cza, cza, dit Gargantua, une escabelle ici près de moi, à ce bout.

— Je le veux bien, dit le moine, puisqu'ainsi vous plaît. Page, de l'eau ! Boute, mon enfant, boute ; elle me rafraîchira le foie. Baille ici que je te gargarise.

— *Deposita cappa,* dit Gymnaste, ôtons ce froc.

— Ho pardieu! dit le moine, mon gentilhomme, il y a un chapitre *in statutis ordinis* auquel ne plairait le cas.

— Bren, dit Gymnaste, bren pour votre chapitre. Ce froc vous rompt les deux épaules : mettez bas.

— Mon ami, dit le moine, laissez-le moi, car pardieu ! je n'en bois que mieux. Il me fait le corps tout joyeux. Si je le laisse, messieurs les pages en feront des jarretières, comme il me fut fait une fois à Coulaines. De plus, je n'aurai nul appétit. Mais si en cet habit je m'asseois à table, je boirai, par Dieu ! et à toi, et à ton cheval, et de bon cœur ; Dieu garde de mal la compagnie ! J'avais soupé, mais pour ce que je mangerai point moins, car j'ai un estomac pavé, creux comme la botte de saint Benoît, toujours ouvert comme la gibecière d'un avocat. De tous poissons fors la tanche ; prenez l'aile de la perdrix ou la cuisse d'une nonnain. N'est-ce folâtrement mourir quand on meurt le catz raide ? Notre prieur aime fort le blanc de chapon.

— En cela, dit Gymnaste, il ne ressemble point aux renards, car des chapons, poules, poulets qu'ils prennent, jamais ils ne mangent le blanc.

— Pourquoi ? dit le moine.

— Parce que, répondit Gymnaste, ils n'ont point de cuisiniers pour les cuire, et, s'ils ne sont convenablement cuits, ils demeurent rouges et non blancs. La rougeur des viandes est l'indice qu'elles ne sont assez cuites, excepté les homards et écrevisses que l'on cardinalise à la cuisson.

— Fête-Dieu-Bayard ! dit le moine, l'infirmier de notre

abbaye n'a donc pas la tête bien cuite, car il a les yeux rouges comme des écuelles de vergne !... Cette cuisse de levraut est bonne pour les goutteux... A propos de truelle, pourquoi est-ce que les cuisses d'une demoiselle sont toujours fraîches ?

— Ce problème, dit Gargantua, n'est ni en Aristote, ni en Alexandre Aphrodise, ni en Plutarque.

— C'est, dit le moine, pour trois causes, par lesquelles un lieu est naturellement rafraîchi. *Primo*, parce que l'eau descend tout du long ; *secundo*, parce que c'est un lieu ombragé, obscur et ténébreux, où jamais le soleil ne luit ; et troisièmement, parce qu'il est continuellement éventé des vents du trou de bise, de la chemise, et, par surcroît, de la braguette. Et de bon cœur ! Page, à la beuverie ! Crac, crac, crac ! Dieu est bon qui nous donne ce bon piot ! Je confesse Dieu que, si j'eusse été au temps de Jésus-Christ, j'eusse bien empêché que les Juifs ne l'eussent pris au jardin des Oliviers. Que le diable me manque tout ensemble si j'eusse manqué à couper les jarrets à messieurs les apôtres qui fuirent si lâchement, après qu'ils eurent bien soupé, et laissèrent leur maître dans le besoin ! Je hais plus que poison un homme qui fuit quand il faut jouer des couteaux. Hon ! que ne suis-je roi de France pour quatre-vingts ou cent ans ! Pardieu ! je vous mettrais en chiens courtauts les fuyards de Pavie ! Leur fièvre quartaine ! Pourquoi ne mouraient-ils là plutôt que de laisser leur bon prince en cette nécessité ? N'est-il pas meilleur et plus honorable de mourir en bataillant vertueusement que de vivre en fuyant vilainement ?... Nous ne mangerons guère d'oisons cette année. Ha ! mon ami, donne de ce cochon. Diavolo ! il n'y a plus de moût : *germinavit radix Jesse.* Je renie ma vie, je meurs de soif... Ce vin n'est pas des pires Quel vin buviez-vous à Paris ? Je me donne au diable si je n'y tins plus de six mois pour un temps maison ouverte à tous venants !... Connaissez-vous frère Claude des Hauts Barrois ? Oh ! le bon compagnon que c'est !

Mais quelle mouche l'a piqué ? Il ne fait rien qu'étudier depuis je ne sais quand. Je n'étudie point, pour ma part. En notre abbaye nous n'étudions jamais, de peur des oreillons. Notre feu abbé disait que c'est chose monstrueuse de voir un moine savant. Pardieu ! monsieur mon ami, *magis magnos clericos non sunt magis magnos sapientes*... Vous ne vîtes oncques tant de lièvres comme il y en a cette année. Je n'ai pu recouvrer ni autour ni tiercelet en lieu du monde. Monsieur de la Bellonnière m'avait promis un lanier, mais il m'écrivit naguère qu'il était devenu poussif. Les perdrix nous mangeront les oreilles cette année. Je ne prends point de plaisir à la tonnelle, car je m'y morfonds. Si je ne cours, si je ne tracasse, je ne suis point à mon aise. Il est vrai que, sautant les haies et buissons, mon froc y laisse du poil. J'ai recouvré un gentil lévrier. Je donne au diable si un lièvre lui échappe ! Un laquais le menait à monsieur de Maulevrier, je le détroussai. Fis-je mal ?

— Nenni, frère Jean, dit Gymnaste, nenni, de par tous les diables, nenni !

— Ainsi, dit le moine, je bois à ces diables, cependant qu'ils durent ! Vertudieu ! Qu'en eût fait ce boiteux ? Le cordieu ! il prend plus de plaisir quand on lui fait présent d'une bonne couple de bœufs.

— Comment, dit Ponocrate, vous jurez, frère Jean ?

— Ce n'est, dit le moine, que pour orner mon langage. Ce sont couleurs de rhétorique cicéronienne. »

CHAPITRE XL

Pourquoi les moines sont fuis du monde et pourquoi les uns ont le nez plus grand que les autres

« Foi de chrétien, dit Eudémon, j'entre en grande rêverie considérant l'honnêteté de ce moine, car il nous ébaudit tous. Et comment donc est-ce qu'on rechasse les moines de toutes les bonnes compagnies, les appelant trouble-fêtes, comme les abeilles chassent les frelons d'autour de leurs ruches ? *Ignavum fucos pecus,* dit Maro, *a proesepibus arcent.* »

A quoi répondit Gargantua :

« Il n'y a rien de si vrai que le froc et la cagoule tirent à soi les opprobres, injures et malédictions du monde, tout ainsi que le vent, dit Cécias, attire les nues. La raison péremptoire est parce qu'ils mangent la merde du monde, c'est-à-dire les péchés, et que, comme mâchemerdes, l'on les rejette en leurs lieux d'aisances : ce sont leurs couvents et abbayes, séparés de conversation civile comme sont les lieux d'aisances d'une maison. Mais, si vous entendez pourquoi un singe en une famille est toujours moqué et harcelé, vous entendrez pourquoi les moines sont de tous fuis, et des vieux et des jeunes. Le singe ne garde point la maison, comme un chien ; il ne tire pas l'areau, comme le bœuf ; il ne produit ni lait ni laine, comme la brebis ; il ne porte pas le faix, comme le cheval. Ce qu'il fait c'est de tout conchier et gâter, qui est la cause pourquoi il reçoit de tous moqueries et bastonnades. Semblablement un moine — j'entends de ces moines oisifs —, ne laboure, comme un paysan ; ne garde le pays, comme l'homme de guerre ; ne guérit les malades, comme le médecin ; ne prêche ni n'endoctrine le monde, comme le bon docteur évangélique et pédagogue ; ne porte les commodités et choses nécessaires à la république, comme le marchand. C'est la cause pourquoi ils sont de tous hués et abhorrés.

— Voire, mais, dit Grandgousier, ils prient Dieu pour nous.

— Rien de moins, répondit Gargantua. Il est vrai qu'ils molestent tout leur voisinage à force de trinqueballer leurs cloches.

— Voire, dit le moine, une messe, des matines, des vêpres bien sonnées sont à demi dites.

— Ils marmonnent grand renfort de légendes et de psaumes nullement par eux entendus. Ils comptent force patenôtres, entrelardées de longs *Ave Maria,* sans y penser ni entendre, et j'appelle cela moque-Dieu, non oraison. Mais que Dieu leur aide s'ils prient pour nous, et non par peur de perdre leurs miches et soupes grasses ! Tous vrais chrétiens, de tous états, en tous lieux, en tous temps, prient Dieu, et l'Esprit prie et intercède pour eux, et Dieu les prend en grâce. Maintenant tel est notre bon frère Jean. Pourtant chacun le souhaite en sa compagnie. Il n'est point bigot, il n'est point déguenillé ; il est honnête, joyeux, décidé, bon compagnon. Il travaille, il peine, il défend les opprimés, il réconforte les affligés, il subvient aux souffreteux, il garde le clos de l'abbaye...

— Je fais, dit le moine, bien davantage, car, en dépêchant nos matines et anniversaires au chœur, je fais en même temps des cordes d'arbalètes, je polis des traits et des gevrots, je fais des rets et des poches à prendre les lapins. Jamais je ne suis oisif. Mais or çà, à boire ! à boire ! çà. Apporte le fruit. Ce sont des châtaignes du bois d'Estrocs. Avec du bon vin nouveau, vous voilà composeur de pets. Vous n'êtes encore céans émoustillés. Pardieu ! Je bois à tous gués, comme un cheval de promoteur. »

Gymnaste lui dit :

« Frère Jean, ôtez cette roupie qui vous pend au nez.

— Ha, ha ! dit le moine, serais-je en danger de me noyer, vu que je suis en l'eau jusqu'au nez ? Non, non. *Quare ? Quia :*

Elle en sort bien, mais point n'y entre,
Il est antidoté de pampre.

O mon ami, qui aurait des bottes d'hiver en tel

cuir, pourrait pêcher hardiment aux huîtres, car jamais elles ne prendraient eau.

— Pourquoi est-ce, dit Gargantua, que frère Jean a un si beau nez ?

— Parce qu'ainsi Dieu l'a voulu, répondit Grandgousier, lequel nous fait en telle forme et telle fin, selon son divin arbitre, que fait un potier ses vases.

— Parce que, dit Ponocrate, il fut des premiers à la foire des nez. Il prit des plus beaux et des plus grands.

— Allons donc ! dit le moine. Selon la vraie philosophie monastique, c'est parce que ma nourrice avait les tétins mollets : en la tétant, mon nez y enfonçait comme en beurre, et là s'élevait et croissait comme la pâte dans la mets. Les durs tétins de nourrices font les enfants camus. Mais gai ! gai ! *ad formam nasi cognoscitur ad te levavi* ; je ne mange jamais de confitures. Page, à la beuverie ! Item, rôties ! »

CHAPITRE XLI

Comment le moine fit dormir Gargantua, et de ses heures et bréviaire

Le souper achevé, ils consultèrent sur l'affaire instante, et il fut conclu qu'environ la mi-nuit ils sortiraient à l'escarmouche pour savoir quel guet et quelle diligence faisaient leurs ennemis ; et en attendant qu'ils se reposeraient quelque peu pour être plus frais.

Mais Gargantua ne pouvait dormir en quelque façon qu'il se mît. Dont lui dit le moine :

« Je ne dors jamais bien à mon aise, sinon quand je suis au sermon ou quand je prie Dieu. Je vous supplie, commençons, vous et moi, les sept psaumes pour voir si tantôt vous ne serez endormi. »

L'invention plut très bien à Gargantua, et, commençant le premier psaume sur le point de *Beati quorum,* ils s'endormirent l'un et l'autre.

Mais le moine ne faillit oncques à s'éveiller avant la mi-nuit, tant il était habitué à l'heure des matines claustrales. Lui éveillé tous les autres éveilla, chantant à pleine voix la chanson :

Ho ! Regnault, réveille-toi, vieille,
O Regnault, réveille-toi !

Quand tous furent réveillés, il dit :

« Messieurs, l'on dit que matines commencent par tousser et souper après boire. Faisons au rebours : commençons maintenant nos matines par boire, et ce soir, à l'entrée du souper, nous tousserons à qui mieux mieux. »

Ce qui fit dire à Gargantua :

« Boire sitôt après dormir ? Ce n'est pas vivre en régime de médecine. Il se faut d'abord écurer l'estomac des superfluités et excréments.

— C'est, dit le moine, bien médeciné. Cent diables me sautent au corps s'il n'y a plus de vieux ivrognes qu'il n'y a de vieux médecins. J'ai composé avec mon appétit en tel pacte que toujours il se couche avec moi, et à cela je donne bon ordre le jour durant ;

aussi avec moi il se lève. Rendez tant que vous voudrez vos flegmes, je m'en vais après mon tiroir.

— Quel tiroir, dit Gargantua, entendez-vous dire ?

— Mon bréviaire, dit le moine, car tout ainsi que les fauconniers, avant que de repaître leurs oiseaux, les font tirer quelque pied de poule pour leur purger le cerveau des flegmes et pour les mettre en appétit, ainsi, prenant ce joyeux bréviaire au matin, je m'écure tout le poumon et me voilà prêt à boire.

— A quel usage, dit Gargantua, dites-vous ces belles heures ?

— A l'usage, dit le moine, de Fécamp : à trois psaumes et trois leçons, ou rien du tout qui ne veut. Jamais je ne m'assujettis à des heures : les heures sont faites pour l'homme, et non l'homme pour les heures. Pourtant je fais des miennes à guise d'étrivières, je les

raccourcis ou les allonge quand bon me semble. *Brevis oratio penetrat cœlos, longa potatio evacuat Scyphos.* Où est écrit cela ?

— Par ma foi, dit Ponocrate, je ne sais, mon petit couillaud, mais tu vaux trop.

— En cela, dit le moine, je vous ressemble. Mais *venite apotemus.* »

L'on apprête grillades à force, et belles soupes de primes, et le moine but à son plaisir. D'aucuns lui tinrent compagnie, les autres s'en abstinrent. Après, chacun commença de s'armer et de s'accoutrer et ils armèrent le moine contre son vouloir, car il ne voulait d'autres armes que son froc devant son estomac, et le bâton de la croix en son poing. Toutefois, pour lui faire plaisir, il fut armé de pied en cap, et monté sur un bon coursier du royaume, et un gros braquemart au côté. Avec lui Gargantua, Ponocrate, Gymnaste, Eudémon et vingt-cinq des plus aventureux de la maison de Grandgousier, tous armés comme il sied, la lance au point, montés comme saint Georges, ayant un arquebusier en croupe.

CHAPITRE XLII

Comment le moine donna courage à ses compagnons et comment il pendit à un arbre

Or s'en vont les nobles champions à leur aventure, bien décidés à entendre quelle rencontre il faudra poursuivre et de quoi il se faudra garder quand viendra la journée de la grande et horrible bataille. Et le moine leur donna courage en disant :

« Enfants, n'ayez ni peur ni doute ; je vous conduirai sûrement. Dieu et saint Benoît soient avec nous ! Si j'avais la force de même que le courage, par la morbleu ! je vous les plumerais comme un canard. Je ne crains rien, fors l'artillerie. Toutefois je sais quelque oraison que m'a baillée le sous-sacristain de notre abbaye, laquelle garantit la personne de toutes bouches à feu. Mais elle ne me profitera de rien, car je n'y ajoute point foi. Toutefois mon bâton de croix fera diables. Pardieu ! qui fera la cane de vous autres, je me donne au diable si je ne le fais moine en mon lieu et l'enchevêtre de mon froc : il porte médecine à la couardise des gens. Avez-vous point ouï parler du lévrier de monsieur de Meurles qui ne valait rien pour les champs ? Il lui mit un froc au col ; par le cordieu ! il n'échappait ni lièvre ni renard devant lui, et qui plus est, il couvrit toutes les chiennes du pays, lui qui auparavant était éreinté, *et de frigidis et maleficiatis...* »

Le moine, en disant ces paroles en colère, passa sous un noyer, tirant vers la saulaie, et embrocha la visière de son heaume à la brisure d'une grosse branche de noyer. Ce nonobstant, il donna farouchement des éperons à son cheval, lequel était chatouilleux à la pointe, de telle manière que le cheval bondit en avant, et que le moine lâche la bride, et de la main se pend aux branches, cependant que le cheval se dérobe sous lui, Par ce moyen le moine demeura pendant au noyer, et criant à l'aide et au meurtre, protestant aussi de trahison.

Eudémon le premier l'aperçut et, appelant Gargantua :

« Sire, venez et voyez Absalon pendu. »

Gargantua venu considéra la contenance du moine et la façon dont il pendait, et dit à Eudémon :

« Vous avez mal rencontré, en le comparant à Absalon, car Absalon se pendit par les cheveux, mais le moine, ras de tête, s'est pendu par les oreilles.

— Aidez-moi, dit le moine, de par le diable ! N'est-il pas bien le temps de jaser ? Vous me semblez les prêcheurs décrétalistes qui disent que quiconque verra son prochain en danger de mort, il le doit, sous peine d'excommunication trisulce, plutôt admonester de se confesser et mettre en état de grâce que de lui aider.

Quand donc, je les verrai tombés en la rivière et prêts d'être noyés, au lieu de les aller quérir et bailler la main, je leur ferai un beau et long sermon *de contemptu mundi et fuga seculi* : et lorsqu'ils seront raides morts, je les irai pêcher.

— Ne bouge pas, dit Gymnaste, mon mignon ; je te vais quérir, car tu es un gentil petit *monachus :*

Monachus in claustro
Non valet ova duo ;
Sed quando est extra,
Bene valet triginta.

« J'ai vu des pendus plus de cinq cents, mais je n'en vis oncques qui eût meilleure grâce en pendillant, et si je l'avais aussi bonne, je voudrais ainsi pendre toute ma vie.

— Aurez-vous, dit le moine, tantôt assez prêché ? Aidez-moi de par Dieu, puisque de par l'Autre vous ne voulez. Par l'habit que je porte, vous vous en repentirez, *tempore et loco prœlibatis.*

Alors Gymnaste descendit de son cheval, et, montant au noyer, souleva le moine par les goussets d'une main et de l'autre défit sa visière du croc de l'arbre, et ainsi le laissa tomber à terre, et lui après. Dès qu'il fut descendu, le moine se défit de tout son harnachement, et jeta l'une pièce après l'autre parmi le champ, et reprenant son bâton de la croix, remonta sur son cheval qu'Eudémon avait retenu dans sa fuite.

Ainsi ils s'en vont joyeusement, tenant le chemin de la Saulaie.

CHAPITRE XLIII

Comment l'escarmouche de Picrochole fut rencontrée par Gargantua, et comment le moine tua le capitaine Tiravant, et puis fut prisonnier entre les ennemis

Picrochole, à la relation de ceux qui avaient échappé à la déroute lorsque Tripet fut étripé, fut pris d'un grand courroux, en entendant dire que les diables avaient couru sur ses gens ; et il tint son conseil toute la nuit, auquel Hastiveau et Touquedillon conclurent que sa puissance était telle qu'il pourrait défaire tous les diables d'enfer, s'ils y venaient. Ce que Picrochole ne croyait pas tout à fait : aussi ne s'en défiait-il.

Pourtant il envoya, sous la conduite du comte Tiravant, pour découvrir le pays, seize cents chevaliers, tous montés sur des chevaux légers, en escarmouche, tous bien aspergés d'eau bénite, et chacun ayant pour leur insigne une étole en écharpe, à toutes aventures, s'ils rencontraient des diables, que par vertu tant de cette eau grégorienne que des étoles, ils les fissent disparaître et s'évanouir.

Ils coururent donc jusqu'auprès de la Vauguyon et de la Maladrerie, mais oncques ne trouvèrent personne à qui parler ; de là ils repassèrent par les hauteurs, et, dans la case et cabane des pâtres, près le Coudray, ils trouvèrent les cinq pèlerins, qu'ils emmenèrent liés et garrottés comme s'ils étaient des espions, nonobstant les exclamations, adjurations et requêtes qu'ils firent.

Descendus de là vers Seuilly, ils furent entendus par Gargantua, lequel dit à ses gens :

« Compagnons, il y a ici rencontre, et ils sont en nombre dix fois plus que nous : choquerons-nous sur eux ?

— Que diable ferons-nous donc ? dit le moine. Estimez-vous les hommes par nombre, et non par vertu et hardiesse ? »

Puis il s'écria :

« Choquons, diables ! choquons. »

Ce qu'entendant, les ennemis pensaient certainement que c'étaient de vrais diables ; ils commencèrent donc à fuir à bride abattue, excepté Tiravant, lequel coucha sa lance en l'arrêt, et en férit à toute outrance le moine au milieu de la poitrine, mais rencontrant le froc horrible, elle s'émoussa par le fer, comme si vous frappiez avec une petite bougie contre une enclume. Alors le moine, avec son bâton de croix, lui donna entre le cou et le collet, sur l'os acromion, si rudement qu'il l'étourdit et lui fit perdre tout sens et mouvement, et il tomba aux pieds du cheval.

Et voyant l'étole qu'il portait en écharpe, il dit à Gargantua :

« Ceux-ci ne sont que prêtres, ce n'est qu'un commencement de moine. Par saint Jean ! je suis moine parfait, je vous en tuerai comme des mouches. »

Puis il courut après au grand galop, tant qu'il attrapa les derniers et les abattait comme seigle, frappant à tort et à travers. Gymnaste interrogea sur l'heure Gargantua s'ils les devaient poursuivre. A quoi dit Gargantua : jamais il ne faut mettre son ennemi en lieu de désespoir,

« Nullement, car selon la vieille discipline militaire parce que telle nécessité lui multiplie la force et accroît le courage, qui déjà était abattu et défaillant, et il n'y a meilleur remède de salut à des gens étourdis et recrus de fatigue que de n'espérer salut aucun. Combien de victoires ont été ôtées des mains des vainqueurs par les vaincus, quand ils ne se sont contentés de raison, mais ont tenté de tout mettre à carnage et de détruire totalement leurs ennemis, sans en vouloir laisser un seul pour en porter les nouvelles ! Ouvrez toujours à vos ennemis toutes les portes et chemins, et faites-leur plutôt un pont d'argent afin de les renvoyer.

— Voire, mais, dit Gymnaste, ils ont le moine.

— Ont-ils le moine ? dit Gargantua. Sur mon honneur, que ce sera à leur dommage ! Mais afin de survenir à tous hasards, ne nous retirons pas encore ; attendons ici en silence, car je pense déjà assez connaître le génie de nos ennemis ; ils se guident par le sort, non par le conseil. »

Eux attendant ainsi sous les noyers, cependant le moine poursuivait, choquant tous ceux qu'il rencontrait,

Sans de nulli
Avoir merci,

jusqu'à ce qu'il rencontrât un chevalier qui portait en croupe un des pauvres pèlerins.

Et là, le voulant mettre à sac, le pèlerin s'écria :

« Ha ! monsieur le prieur, mon ami, monsieur le prieur, sauvez-moi, je vous en prie. »

Laquelle parole entendue, les ennemis se retournèrent en arrière, et voyant qu'il n'y avait là que le moine qui faisait cet esclandre, ils le chargèrent de coups comme on fait un âne de bois, mais il ne ressentait rien du tout, même quand ils frappaient sur son froc, tant il avait la peau dure. Puis ils le baillèrent à garder à deux archers, et, tournant bride, ils ne virent personne en face d'eux ; ils estimèrent donc que Gargantua avait fui avec sa bande. Alors ils coururent vers les Noirettes, tant raidement qu'ils purent, pour les rencontrer, et ils laissèrent là le moine seul avec deux archers de garde.

Gargantua entendit le bruit et hennissement des chevaux, et dit à ses gens :

« Compagnons, j'entends le train de nos ennemis, et déjà j'aperçois quelques-uns d'entre eux qui viennent contre nous en bande. Serrons-nous ici et tenons le chemin en bon rang : par ce moyen nous les pourrons recevoir pour leur perte et pour notre honneur. »

CHAPITRE XLIV

Comment le moine se défit de ses gardes, et comment l'escarmouche de Picrochole fut défaite

Le moine, les voyant partir en désordre, conjectura qu'ils allaient charger sur Gargantua et ses gens, et il s'attristait merveilleusement de ce qu'il ne les pouvait secourir. Puis il avisa la contenance de ses deux archers de garde, lesquels eussent volontiers couru après la troupe pour y butiner quelque chose, et toujours ils regardaient vers la vallée en laquelle ils descendaient. De plus, il raisonnait, disant :

« Ces gens-ci sont bien mal exercés en fait d'armes,

car oncques ils ne m'ont demandé parole et ils ne m'ont ôté mon braquemart. »

Aussitôt après il tira son braquemart et il en férit l'archer qui le tenait à droite, lui coupant entièrement les veines jugulaires et artères sphagitides du cou, avec le gavion, jusqu'aux deux glandes, et, retirant le coup, lui entr'ouvrit la moelle épinière entre la seconde et la troisième vertèbre : l'archer tomba là tout mort. Et le moine, tournant son cheval à gauche, courut sur l'autre, lequel, voyant son compagnon mort et le moine ayant l'avantage sur lui, criait à haute voix :

« Ha ! monsieur le prieur, je me rends, monsieur le prieur, mon bon ami, monsieur le prieur ! »

Et le moine criait de même :

« Monsieur le postérieur, monsieur le postérieur, vous aurez sur vos postères.

— Ha ! disait l'archer, monsieur le prieur, mon mignon, monsieur le prieur, que Dieu vous fasse abbé !

— Par l'habit que je porte, disait le moine, je vous ferai ici cardinal. Rançonnez-vous les gens de religion ? Vous aurez un chapeau rouge à cette heure de ma main. »

Et l'archer criait :

« Monsieur le prieur, monsieur le prieur, monsieur l'abbé futur, monsieur le cardinal, monsieur le tout ! Ha, ha ! hé ! non, monsieur le prieur, mon bon petit seigneur le prieur, je me rends à vous.

— Et je te rends, dit le moine, à tous les diables ! »

Lors d'un coup il lui trancha la tête, lui coupant le crâne sur les os pierreux et enlevant les deux os pariétaux et la commissure sagittale, avec une grande partie de l'os coronal, ce que faisant il lui trancha les deux méninges et ouvrit profondément les deux ventricules postérieurs du cerveau, et le crâne lui demeura pendant sur les épaules à la peau du péricrâne par derrière, en forme d'un bonnet de docteur, noir par dessus, rouge par dedans. Ainsi il tomba raidement par terre.

Cela fait, le moine donna des éperons à son cheval,

et poursuivit la voie que tenaient les ennemis, lesquels avaient rencontré Gargantua et ses compagnons au grand chemin, et ils étaient tant diminués en nombre pour l'énorme massacre qu'y avait fait Gargantua avec son grand arbre, Gymnaste, Ponocrate, Eudémon et les autres, qu'ils commençaient à battre en retraite avec diligence, tout effrayés et perturbés de sens et d'entendement, comme s'ils voyaient l'espèce et la forme propre de la mort devant leurs yeux. Et, comme vous voyez un âne quand il a au cul un taon de Junon ou une mouche qui le pique, courir çà et là sans voie ni chemin, jetant sa charge par terre, rompant son frein et ses rênes, sans aucunement respirer ni prendre de repos — et l'on ne sait pas qui le meut, car l'on ne voit rien qui le touche —, ainsi fuyaient ces gens, dépourvus de sens, sans savoir la cause de leur fuite, tant seulement les poursuit une terreur panique, qu'ils avaient conçue en leurs âmes.

Le moine, voyant que toute leur pensée n'était qu'à gagner au pied, descend de son cheval et monte sur une grosse roche qui était sur le chemin, et avec son grand braquemart il frappait sur ces fuyards à grands tours de bras, sans se ménager ni s'épargner. Il en tua et mit tant par terre qu'il rompit son braquemart en deux pièces.

Alors il pensa en lui-même que c'était assez massacrer et tuer, et que le reste devait s'échapper pour en porter les nouvelles. Pourtant il saisit en son poing une hache de ceux qui gisaient là morts, et retourna derechef sur la roche, passant son temps à voir ses ennemis fuir et culbuter entre les corps morts, excepté qu'à tous il faisait laisser leurs piques, épées, lances et arquebuses, et ceux qui portaient les pèlerins liés, il les mettait à pied et délivrait leurs chevaux aux dits pèlerins, les retenant avec lui à l'orée de la haie, et Touquedillon, lequel il retint prisonnier.

CHAPITRE XLV

Comment le moine amena les pèlerins, et les bonnes paroles que leur dit Grandgousier

Cette escarmouche terminée, Gargantua se retira avec ses gens, excepté le moine, et ils se rendirent sur la pointe du jour chez Grandgousier, lequel en son lit priait Dieu pour leur salut et victoire, et les voyant tous saufs et entiers, les embrassa de bon amour, et demanda des nouvelles du moine. Mais Gargantua lui répondit que sans doute leurs ennemis avaient le moine. « Ils auront donc malencontre, » dit Grandgousier, ce qui avait été bien vrai. C'est pourquoi le proverbe est encore en usage de bailler le moine à quelqu'un.

Adonc il commanda qu'on apprêtât très bien à déjeuner pour les rafraîchir. Le tout apprêté, l'on appela Gargantua ; mais il lui pesait tant de ce que le moine ne comparaissait aucunement qu'il ne voulait ni boire ni manger.

Tout soudain le moine arriva, et, dès la porte de la basse-cour, il s'écria : « Vin frais, vin frais, Gymnaste, mon ami ! »

Gymnaste sortit et il vit que c'était frère Jean qui amenait cinq pèlerins et Touquedillon prisonnier.

Lors Gargantua sortit au-devant, et ils lui firent le meilleur accueil qu'ils purent et le menèrent devant Grandgousier, lequel l'interrogea sur toute son aventure. Le moine lui disait tout, et comment on l'avait pris, et comment il s'était défait des archers, et la boucherie qu'il avait faite par le chemin, et comment il avait recouvré les pèlerins et amené le capitaine Touquedillon.

Puis ils se mirent à banqueter joyeusement tous ensemble. Cependant Grandgousier interrogeait les pèlerins de quel pays ils étaient, d'où ils venaient et où ils allaient.

Lasdaller pour tous répondit :

« Seigneur, je suis de Saint-Genou en Berry ; celui-

ci est de Palluau, celui-ci d'Onzay, celui-ci est d'Argy, et celui-ci de Villebernin. Nous venons de Saint-Sébastien près de Nantes, et nous nous en retournons à petites journées.

— Voire, mais, dit Grandgousier, qu'alliez-vous faire à Saint-Sébastien ?

— Nous allions, dit Lasdaller, lui offrir nos vœux contre la peste.

— O pauvres gens, dit Grandgousier, estimez-vous que la peste vienne de Saint-Sébastien ?

— Oui vraiment, dit Lasdaller, nos prêcheurs nous l'affirment.

— Oui, dit Grandgousier, les faux prophètes vous annoncent-ils de tels abus. Blasphèment-ils de cette façon les justes et saints de Dieu qu'ils les font semblables aux diables, qui ne font que le mal entre les humains, comme Homère écrit que la peste fut mise en l'armée des Grecs par Apollon, et comme les poètes imaginent un grand tas de démons et dieux malfaisants ? Ainsi prêchait à Cinais un cafard que saint Antoine mettait le feu aux jambes, saint Eutrope faisait les hydropiques, saint Gildas les fous, saint Genou les gouttes. Mais je le punis en tel exemple, quoiqu'il m'appelât hérétique, que depuis ce temps cafard quelconque n'eût osé entrer en mes terres, et je m'ébahis si votre roi les laisse prêcher par son royaume de tels scandales, car ils sont plus à punir que ceux qui, par art magique ou autre procédé, auraient mis la peste par le pays. La peste ne tue que le corps, mais de tels imposteurs empoisonnent les âmes. »

Comme il disait ces paroles, le moine entra tout décidé, et il leur demanda :

« D'où êtes-vous, vous autres, pauvres hères ?

— De Saint-Genou, dirent-ils.

— Et comment, dit le moine, se porte l'abbé Tranchelion, le lion buveur ? Et les moines, quelle chère font-ils ? Cordieu ! ils bécottent vos femmes, cependant que vous êtes en romain pèlerinage.

— Hin, hen ! dit Lasdaller, je n'ai pas peur de la mienne, car qui la verra de jour ne se rompra jamais le cou à l'aller visiter la nuit.

— C'est, dit le moine, bien rentré de piques. Elle pourrait être aussi laide que Proserpine, elle aura, pardieu ! la saccade, puisqu'il y a des moines autour, car un bon ouvrier met indifféremment toutes pièces en œuvre. Que j'aie la vérole au cas où vous ne les

Gargantua les poursuivit jusques près Vaugaudry, tuant & massacrant, puis sonna la retraicte. (LIVRE I, CHAPITRE XLVIII.)

trouvez engrossées à votre retour, car seulement l'ombre du clocher d'une abbaye est féconde.

— C'est, dit Gargantua, comme l'eau du Nil en Egypte, si vous croyez Strabon, et Pline, *liv. VII, chap. III*. Comprenez qu'il s'agit de la miche, des habits et des corps. »

Lors dit Grandgousier :

« Allez-vous-en, pauvres gens, au nom de Dieu le Créateur, lequel vous soit en guide perpétuelle ; et dorénavant ne soyez faciles à ces oisifs et inutiles voyages. Entretenez vos familles, travaillez, chacun en sa profession, instruisez vos enfants, et vivez comme vous enseigne le bon apôtre saint Paul. Ce faisant, vous aurez la garde de Dieu, des anges et des saints avec vous, et il n'y aura peste ni mal qui vous porte nuisance. »

Puis Gargantua les mena prendre leur réfection en la salle ; mais les pèlerins ne faisaient que soupirer, et ils dirent à Gargantua :

« Oh ! qu'heureux est le pays qui a pour seigneur un tel homme ! Nous sommes plus édifiés et instruits en ces propos qu'il nous a tenus qu'en tous les sermons qui jamais nous furent prêchés en notre ville.

— C'est, dit Gargantua, ce que dit Platon, *Liv. V de Rep.*, que les républiques seraient heureuses lorsque les rois philosopheraient ou que les philosophes régneraient. »

Puis il leur fit remplir leurs besaces de vivres, leurs bouteilles de vin, et à chacun il donna un cheval pour se soulager au reste du chemin et quelques carolus pour vivre.

CHAPITRE XLVI

Comment Grandgousier traita humainement Touquedillon prisonnier

Touquedillon fut présenté à Grandgousier et interrogé par lui sur l'entreprise et les affaires de Picrochole, à quelle fin il prétendait par ce tumultueux vacarme. A quoi il répondit que sa fin et sa destinée étaient de conquérir tout le pays, s'il pouvait, pour l'injure faite à ses fouaciers :

« C'est, dit Grandgousier, trop entreprendre : qui trop embrasse peu étreint. Le temps n'est plus d'ainsi conquérir les royaumes, avec dommage de son prochain frère chrétien. Cette imitation des anciens Hercule, Alexandre, Hannibal, Scipion, César et autres tels, est contraire à l'enseignement de l'Evangile, par lequel il nous est commandé de garder, sauver, régir et administrer chacun ses pays et terres, non d'hostilement envahir les autres, et ce que les Sarrasins et barbares jadis appelaient prouesses, maintenant nous l'appelons brigandages et méchancetés. Il eût mieux fait de se contenir en sa maison, en la gouvernant royalement, que d'insulter à la mienne, en la pillant hostilement, car il l'eût augmentée en la gouvernant bien, en me pillant il s'est détruit. Allez-vous-en, au nom de Dieu, suivez une bonne entreprise, remontrez à votre roi les erreurs que vous connaîtrez, et ne les conseillez jamais en ayant égard à votre profit particulier, car avec le bien commun, le vôtre propre aussi est perdu. Quant à votre rançon, je vous la donne entièrement, et je veux qu'il vous soit rendu armes et cheval : ainsi faut-il faire entre voisins et anciens amis, vu que ce différend entre nous n'est point proprement la guerre. Comme Platon, *li. V, de Rep.*, voulait être non guerre nommée, mais sédition, quand les Grecs portaient les armes les uns contre les autres, et si cela arrrive par mauvaise fortune, il commande qu'on use de toute modestie. Si vous la nommez guerre, elle n'est que superficielle, elle n'entre point au secret profond de nos cœurs, car nul de nous n'est outragé en son honneur, et il n'est question, somme toute, que de réparer quelque faute commise par nos gens, j'entends et vôtres et nôtres, laquelle, encore que vous le connussiez, vous deviez laisser couler outre, car les personnages querellants étaient plus à mépriser qu'à se rappeler, même leur donnant satisfaction selon le grief, comme je m'y suis offert. Dieu fera juste estimation de notre différend, lequel je supplie de m'ôter plutôt par la mort de cette vie et de faire périr mes biens devant mes yeux qu'il ne soit offensé en vain par moi ni par les miens. »

Ces paroles adressées, il appela le moine, et devant tous lui demanda :

« Frère Jean, mon bon ami, êtes-vous celui qui avez pris le capitaine Touquedillon ici présent ?

— Sire, dit le moine, il est présent ; il a âge et discernement ; j'aime mieux que vous le sachiez par sa confession que par ma parole. »

Alors Touquedillon dit :

« Seigneur, c'est lui véritablement qui m'a pris, et je me rends son prisonnier franchement.

— Ne l'avez-vous pas mis à rançon ? dit Grandgousier au moine.

— Non, dit le moine ; de cela je ne me soucie.

— Combien, dit Grandgousier, voudriez-vous de sa prise ?

— Rien, rien, dit le moine, cela ne me mène pas. »

Lors commanda Grandgousier que, Touquedillon présent, fussent comptés au moine soixante deux mille saluts pour cette prise, ce qui fut fait, cependant qu'on fit la collation au dit Touquedillon, auquel Grandgousier demanda s'il voulait demeurer avec lui ou s'il aimait mieux retourner à son roi. Touquedillon répondit qu'il tiendrait le parti qu'il lui conseillerait :

« Donc, dit Grandgousier, retournez à votre roi, et Dieu soit avec vous ! »

Puis il lui donna une belle épée de Vienne, avec le fourreau d'or fait avec de belles vignettes d'orfèvrerie, et

un collier d'or pesant sept cent deux mille marcs, garni de fines pierreries, de l'estimation de cent soixante mille ducats, et dix mille écus par présent honorable.

Après ces propos, Touquedillon monta sur son cheval. Gargantua, pour sa sûreté, lui bailla trente hommes d'armes et cent vingt archers sous la conduite de Gymnaste, pour le mener jusqu'aux portes de la Roche-Clermaud si besoin était.

Celui-ci parti, le moine rendit à Grandgousier les soixante deux mille saluts qu'il avait reçus, en disant : « Sire, ce n'est pas maintenant que vous devez faire de tels dons, attendez la fin de cette guerre, car l'on ne sait quelles affaires pourraient survenir, et guerre faite sans bonne provision d'argent n'a qu'un souffle de vigueur. Les nerfs des batailles sont les écus.

— Donc, dit Grandgousier, à la fin je vous contenterai par une honnête récompense, et tous ceux qui m'auront bien servi. »

CHAPITRE XLVII

Comment Grandgousier envoya quérir ses légions, et comment Touquedillon tua Hastiveau, puis fut tué par le commandement de Picrochole

En ces mêmes jours, ceux de Bessé, du Marché Vieux, du bourg Saint-Jacques, du Trainneau, de Parilly, de Rivière, des Roches-Saint-Paul, du Vaubreton, de Pontillé, du Bréhemont, du Pont-de-Clam, de Cravant, de Grandmont, des Bordes, de la Villaumaire, d'Huismes, de Ligré, d'Ussé, de Saint-Louant, de Panzoust, des Coudreaux, de Véron, de Coulaine, de Chouzé, de Varennes, de Bourgueil, de l'Isle-Bouchard, du Croulay, de Narsay, de Candes, de Montsoreau et autres lieux voisins, envoyèrent vers Grandgousier des ambassades pour lui dire qu'ils étaient avertis des torts que lui faisait Picrochole, et pour leur ancienne confédération,

ils lui offraient tout leur pouvoir, tant de gens que d'argent et autres munitions de guerre.

L'argent de tous montait, par les pactes qu'ils lui envoyaient, à cent quatre millions deux écus et demi d'or. Les gens étaient quinze mille hommes d'armes, trente deux mille chevau-légers, quatre vingt neuf mille arquebusiers, cent quarante mille aventuriers, onze mille deux cents canons, doubles canons, basilics et spiroles, quarante sept mille pionniers : le tout soudoyé et travaillé pour six mois et quatre jours.

Laquelle offre Gargantua ne refusa ni n'accepta tout à fait ; mais, les remerciant grandement, il dit qu'il arrangerait cette guerre par un tel artifice qu'il ne serait besoin d'embarrasser tant de gens de bien. Il envoya seulement quelqu'un qui amènerait en ordre les légions qu'il entretenait ordinairement en ses places de la Devinière, de Chavigny, de Gravot et de Quinquenais, montant au nombre de deux mille cinq cents hommes d'armes, soixante six mille hommes de pied, vingt six mille arquebusiers, deux cents grosses pièces d'artillerie, vingt deux mille pionniers et six mille chevau-légers, tous par bandes, si bien assorties de leurs trésoriers, de vivandières, de maréchaux, d'armuriers et autres gens nécessaires au train de bataille, si bien instruits en art militaire, si bien armés, si bien reconnaissant et suivant leurs enseignes, si soudains à entendre et à obéir à leurs capitaines, si dégagés pour courir, si forts pour charger, si prudents à l'aventure, qu'ils ressemblaient mieux à une harmonie d'orgues et à un accord d'horloges, qu'à une armée ou gendarmerie.

Touquedillon, arrivé, se présenta à Picrochole et lui conta au long ce qu'il avait fait et vu. A la fin il conseillait, par de fortes paroles, qu'on fît un accommodement avec Grandgousier, qu'il avait éprouvé être le plus homme de bien du monde, ajoutant que ce n'était ni profit ni raison de molester ainsi ses voisins, dont jamais ils n'avaient eu que tout bien, et, au regard du principal, qu'ils ne sortiraient jamais de cette entreprise qu'à leur grand dommage et malheur, car la puissance de Picrochole n'était pas telle que Grandgousier ne les pût aisément mettre à sec.

Il n'eut pas achevé cette parole que Hastiveau dit tout haut :

« Bien malheureux est le prince qui est servi par tels gens, qui sont si facilement corrompus, comme je connais Touquedillon, car je vois son courage si changé qu'il se fût adjoint volontiers à nos ennemis pour batailler contre nous et nous trahir, s'ils l'eussent voulu retenir. Mais comme la vertu est louée et estimée de tous, tant amis qu'ennemis, aussi la méchanceté est tôt connue et suspecte, et supposé que les ennemis s'en servent à leur profit, ils n'en ont pas moins toujours les méchants et les traîtres en abomination. »

A ces paroles Touquedillon impatient tira son épée, et en transperça Hastiveau un peu au-dessus de la mamelle gauche, dont il mourut incontinent, et, retirant son coup du cœur, dit franchement :

« Ainsi périsse qui féaux serviteurs blâmera ! »

Picrochole soudain entra en fureur, et, voyant l'épée et le fourreau si diaprés, il dit :

« T'avait-on donné ce fer pour tuer malignement en ma présence, mon si bon ami Hastiveau ? »

Lors il commanda à ses archers qu'ils le missent en pièces, ce qui fut fait sur l'heure, si cruellement que la chambre était toute pavée de sang. Puis il fit honorablement inhumer le corps de Hastiveau et jeter celui de Touquedillon par-dessus les murailles en la vallée.

Les nouvelles de ces outrages furent sues par toute l'armée, ce dont plusieurs commencèrent à murmurer contre Picrochole, si bien que Grippeminault lui dit :

« Seigneur, je ne sais quelle sera l'issue de cette entreprise. Je vois vos gens peu affermis en leurs courages. Ils considèrent que nous sommes ici mal pourvus de vivres, et déjà beaucoup diminués en nombre par deux ou trois sorties. De plus, il vient un grand renfort de gens à vos ennemis. Si nous sommes assiégés une fois, je ne vois point comment ce ne soit à notre ruine totale.

— Bien, bien ! dit Picrochole, vous ressemblez aux anguilles de Melun : vous criez avant qu'on vous écorche. Laissez-les seulement venir ! »

CHAPITRE XLVIII

Comment Gargantua assaillit Picrochole dans la Roche-Clermaud et défit l'armée du dit Picrochole

Gargantua eut la charge totale de l'armée. Son père demeura en son fort, et, leur donnant courage par de bonnes paroles, promit de grands dons à ceux qui feraient quelques prouesses. Puis ils gagnèrent le gué de Vède, et par bateaux et ponts légèrement faits, passèrent outre d'une traite. Puis, considérant l'assiette de la ville, qui était en lieu haut et avantageux, il délibéra cette nuit sur ce qu'il y avait à faire. Mais Gymnaste lui dit :

« Seigneur, telle est la nature et la complexion des Français qu'ils ne valent qu'à la première pointe : lors ils sont pires que les diables. Mais s'ils séjournent, ils sont moins que des femmes. Je suis d'avis qu'à l'heure présente, après que vos gens auront quelque peu respiré et se seront repus, vous fassiez donner l'assaut. »

L'avis fut trouvé bon.

Donc il déploya toute son armée en plein champ, mettant les réserves du côté de la montée. Le moine prit avec lui six enseignes de gens de pied et deux cents hommes d'armes, et, en grande diligence, traversa les marais et gagna au-dessus du Puy jusqu'au grand chemin de Loudun.

Cependant l'assaut continuait : les gens de Picrochole ne savaient s'il était meilleur de sortir dehors et de les recevoir, ou bien de garder la ville sans bouger. Mais Picrochole fit une furieuse sortie avec une ban-

de d'hommes d'armes de sa maison, et là il fut reçu et festoyé à grands coups de canon qui grêlaient vers les coteaux, d'où les Gargantuistes se retirèrent au val, pour mieux donner lieu à l'artillerie. Ceux de la ville se défendaient le mieux qu'ils pouvaient, mais les traits passaient outre par-dessus, sans férir personne. D'aucuns de la bande, sauvés de l'artillerie, donnèrent farouchement sur nos gens, mais ils avancèrent peu, car tous furent reçus entre les rangs et là abattus par terre. Ce que voyant, ils voulaient se retirer, mais cependant le moine avait occupé le passage, par quoi ils se mirent en fuite sans ordre ni maintien. D'aucuns voulaient leur donner la chasse, mais le moine les

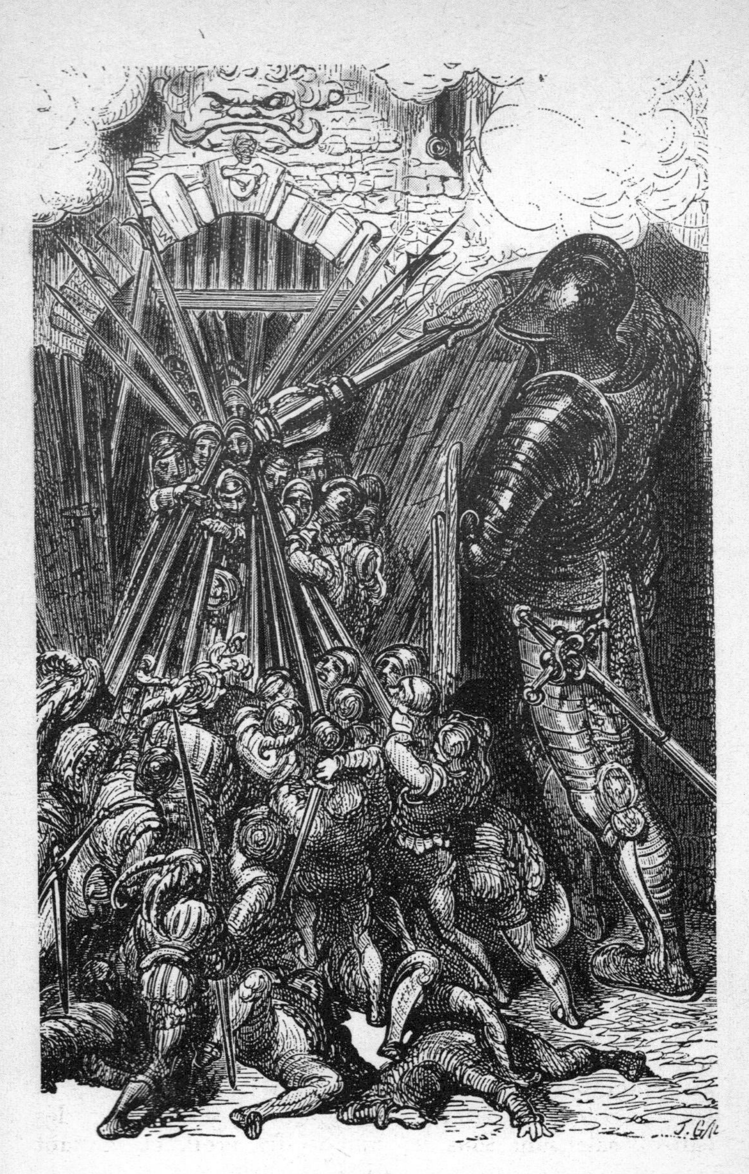

retint, craignant qu'en poursuivant les fuyards ils perdissent leurs rangs, et qu'à ce moment ceux de la ville chargeassent sur eux. Puis, attendant quelque temps et nul ne comparaissant à sa rencontre, il envoya le duc Phrontiste pour exhorter Gargantua à ce qu'il avançât pour gagner le coteau à gauche, pour empêcher la retraite de Picrochole par cette porte. Ce que fit Gargantua en toute diligence, et il y envoya quatre légions de la compagnie de Sébaste ; mais ils ne purent si tôt gagner le haut qu'ils n'y rencontrassent face à face Picrochole et ceux qui avec lui s'étaient éparpillés.

Lors ils leur chargèrent sus roidement ; toutefois ils furent grandement endommagés par ceux qui étaient sur les murs, en coups de trait et d'artillerie. Ce que voyant, Gargantua alla en grande puissance les secourir, et son artillerie commença à viser ce quartier de murailles, si bien que toute la force de la ville y fut rappelée.

Le moine, voyant le côté qu'il tenait assiégé dénué de gens et de gardes, tira magnanimement vers le fond, et tant fit qu'il monta dessus, lui et d'aucuns de ses gens, pensant que ceux qui surviennent dans un conflit donnent plus de crainte et de fureur que ceux qui combattent alors avec leurs forces. Toutefois il ne fit oncques clameurs pour effrayer, jusqu'à ce que tous les siens eussent gagné la muraille, excepté les deux cents hommes d'armes qu'il laissa dehors pour les hasards.

Puis il s'écria horriblement, et les siens ensemble, et ils tuèrent sans résistance les gardes de cette porte, et ils l'ouvrirent aux hommes d'armes, et ils coururent ensemble en toute fureur vers la porte de l'occident où était le désarroi, et ils renversèrent derrière toute leur force.

Les assiégés les voyant de tous côtés, et s'apercevant que les Gargantuistes avaient gagné la ville, se rendirent au moine à merci. Le moine leur fit rendre les fers et les armes, et les fit tous retirer et resserrer dans les églises, saisissant tous les bâtons des croix et mettant des gens aux portes pour les empêcher de sortir. Puis, ouvrant cette porte occidentale, il sortit au secours de Gargantua. Mais Picrochole pensait que le secours lui venait de la ville, et, par outrecuidance, il se hasarda plus qu'auparavant, jusqu'à ce que Gargantua s'écriât :

« Frère Jean, mon ami, frère Jean, soyez le bienvenu ! »

Alors Picrochole et ses gens, connaissant que tout était désespéré, prirent la fuite en tous endroits. Gargantua les poursuivit jusque près de Vaugaudry, tuant et massacrant ; puis il sonna la retraite.

CHAPITRE XLIX

Comment Picrochole fuyant fut surpris par la mauvaise fortune et ce que fit Gargantua après bataille

Picrochole, ainsi désespéré, s'enfuit vers l'Ile-Bouchard, et, au chemin de Rivière, son cheval broncha par terre, de quoi il fut si indigné qu'il le tua de son épée dans sa colère. Puis ne trouvant personne qui le remontât, il voulut prendre un âne du moulin qui était là auprès ; mais les meuniers le meurtrirent tout de coups, et le détroussèrent de ses habillements, et lui baillèrent pour se couvrir une méchante souquenille.

Ainsi s'en alla le pauvre colérique ; puis passant l'eau au Port-Huault et racontant ses infortunes, il fut avisé par une vieille ribaude que son royaume lui serait rendu à la venue des coquecigrues ; depuis on ne sait ce qu'il est devenu.

Toutefois l'on m'a dit qu'il est à présent gagne-denier à Lyon, colérique comme auparavant, et que toujours il s'enquiert à tous les étrangers de la venue des coquecigrues, espérant certainement, selon la prophétie de la vieille, être à leur venue réintégré en son royaume.

Ainsi s'en alla le pauvre cholerique ; puis, passant l'eau au Port Huaulx, & racontant ses males fortunes, fut advisé par une vieille lourpidon que son royaume luy seroit rendu à la venue des cocquecigrues... (LIVRE I, CHAPITRE XLIX.)

Après leur retraite, Gargantua premièrement recensa les gens, et trouva que peu d'entre eux avaient péri dans la bataille, à savoir quelques gens de pied de la bande du capitaine Tolmère et Ponocrate qui avait un coup d'arquebuse en son pourpoint. Puis il les fit rafraîchir chacun par sa bande, et commanda à ses trésoriers que ce repas leur fût défrayé et payé, et que l'on fît outrage quelconque en la ville, vu qu'elle était sienne, et qu'après leur repas, ils comparussent en la place devant le château, et que là ils seraient payés pour six mois ; ce qui fut fait.

Puis il fit réunir devant lui en la dite place tous

ceux qui restaient du parti de Picrochole, auxquels, en présence de tous ses princes et capitaines, il parla comme il s'ensuit.

CHAPITRE L

La harangue que fit Gargantua aux vaincus

« Nos pères, aïeux et ancêtres de toute mémoire ont été de ce sens et de cette nature que, des batailles par eux consommées, ils ont pour signe mémorial des triomphes et des victoires érigé plus volontiers des trophées et des monuments dans les cœurs des vaincus, par grâce, que dans les terres par eux conquises, par architecture, car ils estimaient plus acquise la vive souvenance des humains par leur libéralité que par la muette inscription des arcs, colonnes et pyramides, su-

jette aux calamités de l'air et à l'envie de chacun.

Il vous souvient peut-être assez de la mansuétude dont ils usèrent envers les Bretons à la journée de Saint-Aubin-du-Cormier et à la démolition de Parthenay. Vous avez entendu, vous admirez le bon traitement qu'ils firent aux barbares d'Espanola qui avaient pillé, dépeuplé et saccagé les confins maritimes d'Olonne et du Talmondois. Tout ce ciel a été empli des louanges et congratulations que vous-mêmes et vos pères fîtes lorsque Alpharbal, roi des Canaries, non assouvi de ses fortunes, envahit furieusment le pays d'Aunis, exerçant la piraterie en toutes les îles Armoriques et dans les régions limitrophes. Il fut, en une juste bataille navale, pris et vaincu par mon père, auquel Dieu soit garde et protecteur. Mais quoi ? dans un cas où les autres rois et empereurs, voire qui se font nommer catholiques, l'eussent misérablement traité, durement emprisonné et extrêmement rançonné, il le traita courtoisement, amicalement, le logea avec lui dans son palais, et, par une incroyable débonnaireté, le renvoya avec un sauf-conduit, chargé de dons, chargé de grâces, chargé de tous les bons offices de l'amitié.

Qu'en est-il advenu ? Retourné en ses terres, il fit rassembler tous les princes et états de son royaume, leur exposa l'humanité qu'il avait connue en nous, et les pria de délibérer sur ce point, de façon que le monde y eût un exemple, comme il avait déjà en nous de gracieuseté honnête, aussi en eux d'honnêteté gracieuse. Là il fut décrété, par un consentement unanime, que l'on offrirait entièrement leurs terres, domaines et royaumes, pour en faire selon notre arbitre.

Alpharbal, en propre personne, s'en retourna soudain avec neuf mille trente-huit grands navires de charge, emmenant non seulement les trésors de sa maison et lignée royale, mais presque de tout le pays, car s'embarquant pour faire voile au vent d'ouest-nord est, chacun jetait en foule dans ceux-ci, de l'or, de l'argent, des bagues, des joyaux, des épiceries, des drogues et des odeurs aromatiques, des perroquets, des pélicans, des

guenons, des civettes, des genettes, des porcs-épics. Il n'était fils réputé de bonne mère qui ne jetât devant ce qu'il avait de singulier.

Dès qu'il fut arrivé, il voulait baiser les pieds de mon dit père : le fait fut estimé indigne et ne fut pas toléré, mais il fut embrassé sociablement ; il offrit ses présents : ils ne furent pas reçus, pour être trop excessifs ; il se donna comme esclave et serf volontaire : ce ne fut pas accepté, parce que ce ne sembla pas équitable ; il céda, pour le décret des Etats, ses terres et son royaume, offrant la transaction et le transport signés, scellés et ratifiés de tous ceux qui devaient le faire : ce fut totalement refusé, et les contrats jetés au feu. La fin fut que mon dit père commença par se lamenter de pitié et pleurer copieusement, considérant le franc vouloir et la simplicité des Canariens et, par mots exquis et sentences congrues, il diminuait le bon procédé qu'il avait eu pour eux, disant ne leur avoir fait du bien qui fût à l'estimation d'un bouton, et que, s'il leur avait montré un rien d'honnêteté, il était tenu de le faire. Mais Alpharbal l'augmentait d'autant plus.

Quelle fut l'issue ? Au lieu que, pour sa rançon prise à toute extrémité, nous eussions pu tyranniquement exiger vingt fois cent mille écus et retenir pour otages ses enfants aînés, ils se sont fait tributaires perpétuels et obligés de nous bailler chaque année deux millions d'or affiné à vingt-quatre carats. Ils nous furent, la première année, payés ici ; la seconde, de franc vouloir, ils en payèrent vingt-trois fois cent mille écus ; la troisième, vingt-six fois cent mille ; la quatrième, trois millions, et augmentant ainsi toujours tant de leur bon gré que nous serons contraints de les empêcher de ne rien nous apporter de plus. C'est la nature de la gratuité. car le temps qui ronge et diminue toute chose, augmente et accroît les bienfaits, parce qu'un bon procédé, libéralement eu à l'égard d'un homme de raison, s'accroît continuellement par la noble pensée et la reconnaissance. Ne voulant donc aucunement dégénérer de la débonnaireté héréditaire de mes parents, je vous absous maintenant et vous délivre, et vous rends francs et libres comme auparavant.

Par surcroît, vous serez à la sortie des portes payés chacun pour trois mois, pour pouvoir vous retirer en vos maisons et familles, et six cents hommes d'armes et huit mille hommes de pied vous conduiront en sûreté sous la conduite de mon écuyer Alexandre, afin que vous ne soyez pas outragés par les paysans. Dieu soit avec vous !

Je regrette de tout mon cœur que Picrochole ne soit pas ici, car je lui eusse donné à entendre que cette guerre était faite sans ma volonté, sans espoir d'accroître ni mon bien ni mon nom. Mais puisqu'il est perdu et qu'il s'est évanoui on ne sait où ni comment, je veux que son royaume demeure entier à son fils, lequel, parce qu'il est trop en bas-âge — car il n'a pas encore cinq ans accomplis — sera gouverné et instruit par les anciens princes et gens savants du royaume. Et, parce qu'un royaume ainsi désolé serait facilement ruiné, si on ne refrénait la convoitise et l'avarice de ses administrations, j'ordonne et je veux que Ponocrate soit le surintendant de tous ses gouverneurs, avec l'autorité à ce requise, et assidu avec l'enfant jusqu'à ce qu'il le reconnaisse capable de pouvoir régir et régner par lui-même.

Je considère qu'une facilité trop énervée et trop dissolue à pardonner aux malfaisants leur est une occasion de mal faire derechef plus légèrement, par cette pernicieuse confiance qu'ils ont d'être grâciés. Je considère que Moïse, le plus doux homme qui fût sur la terre de son temps, punissait sévèrement les mutins et les séditieux au royaume d'Israël. Je considère que Jules César, empereur si débonnaire que Cicéron dit de lui que sa fortune n'avait rien de plus souverain sinon qu'il pouvait, et que sa vertu n'avait rien de meilleur sinon qu'il voulait toujours faire grâce et pardonner à un chacun, mais que toutefois, ce nonobstant, il punit rigoureusement en certains endroits les auteurs de rébellion.

Suivant ces exemples, je veux que vous me livriez avant le départ, premièrement ce beau Marquet, qui a été la source et la cause première de cette guerre par sa vaine outrecuidance ; secondement, ses compagnons fouaciers, qui furent négligents à corriger sa tête folle sur l'instant ; et finalement tous les conseillers, capitaines, officiers ou domestiques de Picrochole, lesquels l'auraient incité, loué ou lui auraient conseillé de sortir de ses frontières pour nous inquiéter ainsi. »

CHAPITRE LI

Comment les Gargantuistes vainqueurs furent récompensés après la bataille

Cette harangue faite par Gargantua, les séditieux par lui requis furent livrés, excepté Spadassin, Merdaille et Menuail, lesquels avaient fui six heures avant la bataille, l'un jusqu'au col d'Agnello, d'une traite, l'autre jusqu'au val de Vire, l'autre jusqu'à Logrono, sans regarder derrière eux ni prendre haleine en route, et deux fouaciers, lesquels périrent en la journée. Gargantua ne leur fit d'autre mal, sinon qu'il leur ordonna de tirer les presses de son imprimerie, qu'il avait nouvellement fondée.

Puis ceux-là qui étaient morts, il les fit honorablement inhumer en la vallée des Noirettes et au camp de Brûlevieille. Les blessés, il les fit panser et traiter en son grand hôpital. Après il avisa aux dommages faits à la ville et aux habitants, et les fit rembourser de tous leurs intérêts, à leur confession et serment ; et il y fit bâtir un château-fort, y mettant gens et guet, pour mieux se défendre à l'avenir contre les émeutes soudaines.

Au départ, il remercia gracieusement tous les soudards

de ses légions, qui avaient été à cette défaite, et les renvoya hiverner en leurs postes et garnisons, excepté d'aucuns de la dixième légion qu'il avait vus faire quelques prouessses en la journée et les capitaines des bandes, qu'il amena avec lui vers Grandgousier.

A leur vue et à leur venue, le bonhomme fut si joyeux qu'il serait impossible de le décrire. Donc il leur fit un festin, le plus magnifique, le plus abondant et le plus délicieux qui fût vu depuis le temps du roi Abdère. A la sortie de table, il distribua à chacun d'eux toute la garniture de son buffet, qui était du poids de dix huit cent mille quatorze besants d'or, en grands vases à l'antique, grands pots, grands bassins, grandes tasses, coupes, potets, candélabres, jattes, nacelles, vases à fleurs, drageoirs et autre telle vaisselle, toute d'or massif, outre la pierrerie, l'émail et l'ouvrage, qui, à l'estimation de tous, excédait en prix leur matière. De plus il leur fit compter de ses coffres à chacun douze cent mille écus comptants, et, par surcroît, il donna à chacun d'eux à perpétuité — excepté s'ils mouraient sans hoirs — ses châteaux et terres voisines, selon qu'ils leur étaient le plus commodes. A Ponocrate, il donna la Roche-Clermaud ; à Gymnaste, le Coudray ; à Eudémon, Montpensier ; le Rivau, à Tolmère ; à Ithybole, Montsoreau ; à Acamas, Candes ; Varennes, à Chironacte ; Gravot, à Sébaste ; Quinquenais, à Alexandre ; Ligré, à Sophrone, et ainsi de ses autres places.

CHAPITRE LII

Comment Gargantua fit bâtir pour le moine l'abbaye de Thélème

Restait seulement le moine à pourvoir, lequel Gargantua voulait faire abbé de Seuilly, mais il le refusa. Il lui voulut donner l'abbaye de Bourgueil ou de Saint-Florent, celle qui lui conviendrait le mieux, ou toutes deux, s'il les prenait à gré. Mais le moine lui fit réponse pérempitoire, que de moines il ne voulait charge ni gouvernement :

« Car comment, disait-il, pourrais-je gouverner autrui, moi qui ne saurais me gouverner moi-même ? S'il vous semble que je vous aie rendu, et que je puisse à l'avenir vous rendre un service agréable, octroyez-moi de fonder une abbaye selon mon plan. »

La demande plut à Gargantua, et il offrit tout son pays de Thélème, jouxtant la rivière de la Loire, à deux lieues de la grande forêt du Port-Huault ; et il requit à Gargantua d'instituer sa règle religieuse au contraire de toutes les autres.

« Premièrement donc, dit Gargantua, il ne faudra plus

bâtir de murailles d'enceinte, car toutes les autres abbayes sont farouchement murées.

— Voire, dit le moine, et non sans cause : où mur il y a, et devant et derrière, il y a force murmure, envie et conspiration mutuelles. »

De plus, vu qu'en certains couvents de ce monde il est en usage que si femme y entre — j'entends des prudes et pudiques — on nettoie la place par laquelle elles sont passées, il fut ordonné que si des religieuses ou religieux y entraient par un cas fortuit, on nettoierait soigneusement tous les lieux par lesquels ils seraient passés, et parce qu'aux couvents de ce monde tout est compassé, limité et réglé par heures, il fut décrété qu'il n'y aurait là ni horloge ni cadran aucun. Mais, selon les occasions et opportunités, toutes les œuvres seraient dispensées. Car, disait Gargantua, la plus vraie perte de temps qu'il sût était de compter les heures. Quel bien en advient-il ? Et la plus grande rêverie du monde était de se gouverner au son d'une cloche, et non à la dictée du bon sens et entendement. »

Item, parce qu'en ce temps-là on ne mettait au couvent des femmes, sinon celles qui étaient borgnes, boiteuses, bossues, laides, défaites, folles, insensées, mal formées et tarées, ni les hommes, sinon catarrheux, mal nés, niais et empêchés pour la maison...

« A propos, dit le moine, une femme qui n'est ni belle ni bonne, à quoi vaut toile ?

— A mettre au couvent, dit Gargantua.

— Voire, dit le moine, et à faire des chemises »... il fut ordonné que là ne seraient reçus que les belles, bien formées et de belle nature, et les beaux, bien formés et de belle nature.

Item, parce qu'aux couvents des femmes n'entraient les hommes, sinon à la dérobée et clandestinement, il fut décrété que jamais ne seraient là les femmes au cas où les hommes n'y fussent, ni les hommes au cas où n'y fussent les femmes.

Item, parce que tant hommes que femmes, une fois reçus en religion, après l'année d'épreuve, étaient forcés

et astreints d'y demeurer perpétuellement leur vie durant, il fut établi que tant hommes que femmes là reçus sortiraient quand bon leur semblerait, librement et entièrement.

Item, parce qu'ordinairement les religieux faisaient trois vœux, à savoir de chasteté, de pauvreté et d'obéissance, il fut constitué que là on pût être honorablement marié, que chacun fût riche et vécut en liberté.

Au regard de l'âge légitime, les femmes y étaient reçues depuis dix jusqu'à quinze ans, les hommes depuis douze jusqu'à dix-huit.

CHAPITRE LIII

Comment fut bâtie et dotée l'abbaye des Thélémites

Pour le bâtiment et ravitaillement de l'abbaye, Gargantua fit livrer comptant deux millions sept cent mille huit cent trente-et-un moutons à la grand'laine, et pour chaque année jusqu'à ce que le tout fût achevé, assigna sur la recette de la Dive seixe cent soixante-neuf mille écus au soleil, et autant à l'étoile poussinière.

Pour sa fondation et son entretien, il donna à perpétuité deux millions trois cent soixante-neuf mille cinq cent quatorze nobles à la rose de rente foncière, garantis, amortis et solvables chaque année à la porte de l'abbaye, et, de cela, il leur passa de belles lettres.

Le bâtiment fut en forme d'hexagone, de telle façon qu'à chaque angle était bâtie une grosse tour ronde, de la capacité de soixante pas en diamètre, et elles étaient toutes pareilles en grosseur et figure. La rivière de la Loire coulait sur la face de septentrion. Au pied de celle-ci était assise une des tours, nommée Artice. En tirant vers l'orient était une autre, nommée Calaer. L'autre en suivant, Anatole ; l'autre parès, Mésembrine ; l'autre après, Hespérie ; la dernière, Crière. Entre chaque tour était un espace de trois cent douze pas. Le tout bâti à six étages, comprenant les caves sous terre pour un. Le second était voûté à la forme d'une anse de panier, le reste était revêtu de gypse de Flandre, en forme de culs-de-lampe. Le dessus, couvert d'ardoise fine, avec le faîte de plomb, à figures de petits mannequins et animaux bien assortis et dorés, avec les gouttières qui sortaient hors de la muraille entre les croisées, peintes en forme de diagonale d'or et d'azur jusqu'à

Au departir, remercia gracieusement tous les soudars de ses legions, qui avoient esté à ceste defaicte : & les renvoya hyverner en leurs stations & garnisons. (LIVRE I, CHAPITRE LI.)

la terre, où elles finissaient en grands canaux, qui tous conduisaient à la rivière par-dessous le logis.

Le dit bâtiment cent fois plus magnifique que n'est Bonivet, ni Cambord, ni Chantilly ; car il y avait dans celui-ci neuf mille trois cent trente-deux chambres, chacune garnie d'une arrière-chambre, d'un cabinet, d'une garde-robe, d'une chapelle et d'une sortie sur une grande salle. Entre chaque tour, au milieu du dit corps de logis, était un escalier tournant coupé par des paliers dans le corps même de celui-ci, dont les marches étaient partie en porphyre, partie en pierre de Numidie, partie en marbre serpentin, longues de vingt-six pieds ; l'épaisseur en était de trois doigts, l'assiette au nombre de douze entre chaque repos. En chaque repos étaient deux beaux arceaux à l'antique, par lesquels était reçue la clarté, et par ceux-ci on entrait en un cabinet fait à claire-voie, de la largeur du dit escalier ; et il montait jusqu'au-dessus de la couverture, et finissait là en pavillon. Par cet escalier tournant on entrait de chaque côté en une grande salle, et des salles dans les chambres.

Depuis la tour Artice jusqu'à Crière étaient les belles grandes bibliothèques en grec, latin, hébreu, français, toscan et espagnol, réparties par les divers étages selon ces langages. Au milieu était un merveilleux escalier, dont l'entrée était par le dehors du logis en un arceau large de six toises. Il était fait en telle symétrie et capacité que six hommes d'armes, la lance sur la cuisse, pouvaient monter ensemble de front jusqu'au-dessus de tout le bâtiment.

Depuis la tour Anatole jusqu'à Mésembrine étaient de belles galeries, toutes peintes des antiques prouesses, histoires et descriptions de la terre. Au milieu était une pareille montée et porte, comme nous avons dit, du côté de la rivière. Sur cette porte était écrit en grosses lettres antiques ce qui s'ensuit.

CHAPITRE LIV

Inscription mise sur la grande porte de Thélème

Ci n'entrez pas, hypocrites, bigots,
Vieux matagots, marmiteux boursouflés,
Tors-cous, badauds, plus que n'étaient les Goths,
Ni Ostrogoths, précurseurs des magots,

Hères, cagots, cafards empantouflés,
Gueux mitouflés, frapparts écorniflés,
Bafoués, enflés, fagoteurs de tabus,
Tirez ailleurs pour vendre vos abus.
    Vos abus méchants
    Rempliraient mes camps
    De méchanceté ;
    Et par fausseté
    Troubleraient mes chants
    Vos abus méchants.

Ci n'entrez pas, mâchefoins praticiens,
Clercs, bascochiens, mangeurs de populaire,
Officiaux, scribes et pharisiens,
Juges anciens, qui les bons paroissiens
Ainsi que chiens mettez au capulaire ;
Votre salaire est au patibulaire.
Allez-y braire ; ici n'est fait excès
Dont en vos cœurs on doit mouvoir procès.
    Procès et débats
    Peu font ci d'ébats,
    Où l'on vient s'ébattre.
    A vous pour débattre
    Soient pleins cabas
    Procès et débats.

Ci n'entrez pas, vous, usuriers chichards,
Biffauts, léchards, qui toujours amassez,
Grippeminaults, avaleurs de frimards,
Courbés, camards, qui en vos coquemards
De mille marcs jà n'auriez assez.
Point dégoûtés n'êtes, quand cabassez
Et entassez, poltrons à chiche face ;
La male mort sur-le-champ vous défasse !
    Face non humaine
    De tels gens qu'on mène
    Raser hors — céans
    Ne serait séant —
    Videz ce domaine,

Face non humaine.

Ci n'entrez pas, vous, radoteurs mâtins,
Soirs et matins, vieux chagrins et jaloux ;
Ni vous aussi, séditieux mutins,
Larves, lutins, de Dangier palatins,
Grecs ou Latins, plus à craindre que loups ;
Ni vous galeux, vérolés jusqu'à l'ous ;
Portez vos loups ailleurs paître en bonheur,
Croûtelevés, remplis de déshonneur.
Honneur, los, déduit,
Céans est déduit
Par joyeux accords ;
Tous sont sains de corps ;
Partant, bien leur duit :
Honneur, los, déduit.

Ci entrez, vous, et soyez bienvenus
Et parvenus, tous nobles chevaliers.
Ci est le lieu où sont les revenus
Bien advenus ; afin qu'entretenus,
Grands et menus, tous soyez par milliers.
Mes familiers serez, en péculiers :
Frisquets, galiers, joyeux, plaisants, mignons,
En général tous gentils compagnons.
Compagnons gentils,
Sereins et subtils,
Hors de vilité,
De civilité
Ci sont les outils,
Compagnons gentils.

Ci entrez, vous, qui le saint Evangile
En sens agile annoncez, quoi qu'on gronde :
Céans aurez un refuge et bastille
Contre l'hostile erreur, qui tant postille
Par son faux style empoisonner le monde :
Entrez, qu'on fonde ici la foi profonde,
Puis qu'on confonde, et par voix et par rôle

Les ennemis de la sainte Parole.
La Parole Sainte.
Jà ne soit éteinte
En ce lieu très saint ;
Chacun en soit ceint ;
Chacune ait enceinte
La Parole Sainte

Ci entrez, vous, dames de haut parage,
En franc courage entrez-y en bonheur,
Fleurs de beauté à céleste visage,
A droit corsage, à maintien prude et sage.
En ce passage est le séjour d'honneur.
Le haut seigneur, qui du lieu fut donneur
Et guerdonneur, pour vous l'a ordonné.
Et pour frayeur à tout pour or donné.
Or donné par don
Ordonne pardon
A cil qui le donne,
Et très bien guerdonne
Tout mortel prudhom
Or donné par don.

CHAPITRE LV

Comment était le manoir des Thélémites

Au milieu de la basse-cour était une fontaine magnifique de bel albâtre ; au-dessus, les trois Grâces, avec des cornes d'abondance, et elles jetaient l'eau par les mamelles, la bouche, les oreilles, les yeux et les autres ouvertures du corps.

Le dedans du logis sur la dite basse-cour était sur gros piliers de calcédoine et de porphyre, avec de beaux arcs à l'antique, au-dedans desquels étaient de belles galeries longues et amples, ornées de peintures et de cornes de cerfs, licornes, rhinocéros, hippopotames, dents d'éléphants et autres choses dignes d'être vues.

Le logis des dames comprenait depuis la tour Artice jusqu'à la porte Mésembrine. Les hommes occupaient le reste. Devant le dit logis des dames, afin qu'elles eussent de quoi s'ébattre, entre les deux premières tours, au-dedans, étaient les lices, l'hippodrome, le théâtre et les piscines de natation, avec les bains mirifiques à triple étage, bien garnis de tous assortiments et d'eau de myrrhe à foison.

Jouxtant la rivière était le beau jardin de plaisance ; au milieu de celui-ci, le beau labyrinthe. Entre les deux autres tours étaient les jeux de paume et de grosse balle. Du côté de la tour Crière était le verger, plein de tous les autres fruitiers, tous ordonnés en quinconces. Au bout était le grand parc, foisonnant de toutes bêtes sauvages. Entre les troisièmes tours étaient les buttes pour l'arquebuse, l'arc et l'arbalète. Les offices, hors de la tour Hespérie, à simple étage. L'écurie, au-delà des offices. La fauconnerie au-devant de ceux-ci, gouvernée par des autoursiers bien experts en leur art, et elle était annuellement fournie par les Canadiens, Vénitiens et Sarmates de toutes sortes d'oiseaux modèles : aigles ; gerfauts, autours, sacres, laniers, faucons, éperviers, émerillons et autres, tant bien faits et domestiqués que, partant du château pour s'ébattre dans les champs, ils prenaient tout ce qu'ils rencontraient. La vènerie était un peu plus loin, en tirant vers le parc.

Toutes les salles, les chambres et les cabinets étaient tapissés de sortes diverses, selon les saisons de l'année. Tout le pavé était couvert de drap vert. Les lits étaient de broderie. En chaque arrière-chambre était un miroir de cristal, enchâssé dans l'or fin, garni autour de perles, et qui était de telle grandeur qu'il pouvait véritablement représenter toute la personne.

A la sortie des salles du logis des dames étaient les parfumeurs et les coiffeurs, par les mains desquels passaient les hommes quand ils visitaient les dames. Ceux-ci fournissaient pour chaque matin les chambres d'eau de rose, d'eau de naphe et d'eau d'ange, et à chacune la précieuse cassolette vaporisant toutes les drogues aromatiques.

CHAPITRE LVI

Comment étaient vêtus les religieux et religieuses de Thélème

Les dames, au commencement de la fondation, s'habillaient à leur plaisir et à leur gré. Depuis elles furent réformées à leur franc vouloir en la façon qui s'ensuit :

Elles portaient des chausses d'écarlate ou de migraine ; et les dites chausses dépassaient le genou juste de trois doigts au-dessus, de cette lisière était de quelques belles broderies et découpures. Les jarretières étaient de la couleur de leurs bracelets et serraient le genou au-dessus et au-dessous. Les souliers, escarpins et pantoufles, de velours cramoisi, rouge ou violet, découpés en barde d'écrevisse.

Au-dessus de la chemise elles revêtaient la belle basquine, faite de quelque beau drap de soie. Par-dessus elles revêtaient la vertugade de taffetas blanc, rouge, tanné, gris, etc. ; au-dessus la cotte de taffetas d'argent fait avec des broderies d'or fin, et entortillé à l'aiguille, ou comme bon leur semblait et correspondant à la disposition de l'air, de satin, de damas, de velours orangé, tanné, vert, cendré, bleu, jaune clair, rouge cramoisi, blanc, de drap d'or, de toile d'argent, de canetille, de brodure, selon les fêtes.

Les robes, selon la saison, de toile d'or à frisure d'argent, de satin rouge recouvert de canetille d'or, de taffetas blanc, bleu, noir, tanné, de serge de soie, de drap de soie, de velours, de drap d'argent, de toile d'argent, d'or tiré, de velours ou de satin parfilé d'or en diverses figures.

En été, pendant quelques jours, au lieu de robes elles portaient de beaux mantelets, avec les parures susdites, ou quelques mantilles à la moresque, de velours violet à frisure d'or sur canetille d'argent, où à cordelière d'or, garnies aux rencontres de petites perles des Indes ; et toujours le beau panache, selon les couleurs des manchons, et bien garni de pampillettes d'or. En hiver, des robes de taffetas des couleurs comme ci-dessus, fourrées de loup cervier, grenette noire, martre de Calabre, zibeline et autres fourrures précieuses.

Les chapelets, anneaux, chaînes à mailles, colliers étaient de fines pierreries, escarboucles, rubis, balais, diamants, saphirs, émeraudes, turquoises, grenats, agates, béryls, perles et assortiments de grosses perles.

L'accoutrement de la tête était selon le temps : en hiver, à la mode française ; au printemps, à l'espagnole, en été, à la turque, excepté les fêtes et dimanches, pendant lesquels elles portaient l'accoutrement français, parce qu'il est plus honorable et sent plus la pudicité matronale.

Les hommes étaient habillés à leur mode : chausses, pour le bas, d'étamet ou de serge de drap, d'écarlate, de migraine, blanc ou noir ; les hauts, de velours de ces mêmes couleurs, ou de bien près approchantes, brodés et découpés selon leur invention ; le pourpoint, de drap d'or, d'argent, de velours, de satin, de damas, de taffetas des mêmes couleurs, découpés, brodés et accoutrés en modèle ; les lacets, de soie des mêmes couleurs ; les ferrets, d'or bien émaillé ; les saies et chamarres, de drap d'or, de toile d'or, de drap d'argent, de velours parfilé à plaisir ; les robes, d'autant de prix que celles des dames ; les ceintures, de soie des couleurs du pourpoint. Chacun, la belle épée au côté ; la poignée dorée, le fourreau de velours de la couleur des chausses, le bout d'or et d'orfèvrerie ; le poignard de même ; le bonnet de velours noir, garni de force baies et boutons d'or ; la plume blanche par-dessus, mignonnement divisée par des paillettes d'or, au bout desquelles pendaient en pampillettes de beaux rubis, des émeraudes, etc.

Mais une telle sympathie était entre les hommes et les

femmes que, pendant chaque jour, ils étaient vêtus de semblable parure, et, pour ne pas y manquer, certains gentilshommes étaient commis pour dire aux hommes, chaque matin, quelle livrée les dames voulaient porter en cette journée, car tout était fait selon le gré des dames.

Ne pensez qu'eux ni elles perdissent aucun temps en ces vêtements si propres et accoutrements si riches, car les maîtres des garde-robes avaient toute la vêture si prête chaque matin, et les femmes de chambre étaient si bien apprises qu'en un moment elles étaient prêtes et habillées de pied en cap.

Et, pour avoir ces accoutrements en la meilleure opportunité, autour du bois de Thélème était un grand corps de maison, long d'une demi-lieue, bien clair et assorti, en laquelle demeuraient les orfèvres, lapidaires, brodeurs, tailleurs, tireurs d'or, veloutiers, tapissiers et haute-liciers, et là ils œuvraient chacun de son métier, et le tout pour les susdits religieux et religieuses. Ils étaient fournis de matière et d'étoffe par les mains du seigneur Nausiclète, lequel leur envoyait chaque année sept navires des îles de Perles et Cannibales, chargés de lingots d'or, de soie crue, de perles et de pierreries. Si quelques grosses perles tendaient à la vétusté et changeaient de leur blancheur naturelle, ils les ravivaient par leur art en les donnant à manger à quelques beaux coqs, comme on baille une purge à des faucons.

CHAPITRE LVII

Comment étaient réglés les Thélémites en leur manière de vivre

Toute leur vie était employée, non par lois, statuts ou règles, mais selon leur vouloir et leur libre arbitre. Ils se levaient du lit quand bon leur semblait, buvaient, mangeaient, travaillaient, dormaient quand le désir leur

venait. Nul ne les éveillait, nul ne les forçait ni à boire ni à manger ni à faire quelque autre chose. Ainsi l'avait établi Gargantua.

En leur règle n'était que cette clause :

FAIS CE QUE TU VOUDRAS

parce que des gens libres, bien nés, bien instruits, conversant en compagnies honnêtes, ont par nature un instinct et un aiguillon qui les pousse toujours à des actes vertueux et les retire du vice, lequel instinct ils nommaient honneur. Quand, par une vile sujétion et contrainte ils sont déprimés et assouvis, ils tournent cette noble affection par laquelle ils tendaient librement à la vertu, à déposer et à enfreindre ce joug de servitude, car nous entreprenons toujours des choses défendues et convoitons ce qui nous est refusé.

Par cette liberté, ils entrèrent en louable émulation de faire tous ce qu'ils voyaient plaire à un seul. Si quelqu'un ou quelqu'une disait : « Buvons », tous buvaient ; s'il disait : « Jouons », tous jouaient ; s'il disait « Allons nous ébattre aux champs », tous y allaient. Si c'était pour chasser au vol, les dames, montées sur de belles haquenées, avec leur fier palefroi, portaient chacune sur leur poing mignonnement ganté ou un épervier ou un laneret ou un émerillon ; les hommes portaient les autres oiseaux.

Ils étaient si noblement appris qu'il n'était entre eux nul ou nulle qui ne sût lire, chanter, jouer d'instruments harmonieux, parler cinq ou six langues, et composer dans celles-ci tant en vers qu'en prose. Jamais ne furent vus chevaliers si preux, si galants, si adroits à pied et à cheval, plus verts, mieux remuants, mieux maniant toutes armes qu'ils étaient là. Jamais ne furent vues dames si propres, si mignonnes, moins fâcheuses, plus doctes à la main, à l'aiguille, à tout acte féminin honnête et libre qu'elles étaient là.

Par cette raison, quand le temps était venu que quel-

qu'un de cette abbaye, soit à la requête de ses parents, soit pour une autre cause, voulût sortir dehors, il emmenait avec soi une des dames, celle qui l'aurait pris pour son dévot, et ils étaient mariés ensemble ; et s'ils avaient bien vécu à Thélème en dévouement et amitié, encore mieux ils la continuaient en mariage, d'autant s'aimaient-ils entre eux à la fin de leurs jours comme le premier de leurs noces.

Je ne veux pas oublier de vous décrire une énigme qui fut trouvée aux fondations de l'abbaye sur une grande lame de bronze. C'était celle qu'il suit.

CHAPITRE LVIII

Enigme en prophétie

Pauvres humains qui bonheur attendez,
Levez vos cœurs et mes dits entendez.
S'il est permis de croire fermement
Que, par les corps qui sont au firmament,
Humain esprit de soi puisse advenir
A prononcer les choses à venir,
Ou, si l'on peut, par divine puissance,
Du sort futur avoir la connaissance,
Tant que l'on juge en assuré discours
Des ans lointains les destinée et cours,
Je fais savoir à qui le veut entendre
Que cet hiver prochain, sans plus attendre,
Voire plus tôt, en ce lieu où nous sommes,
Il sortira une manière d'hommes
Las du repos et fâchés du séjour,
Qui librement iront, et de plein jour,
Suborner gens de toutes qualités
A différend et partialités.
Et qui voudra les croire et écouter
— Quoi qu'il en doive advenir et coûter —
Ils feront mettre en débats apparents
Amis entre eux et les proches parents ;
Le fils hardi ne craindra l'impropère
De se bander contre son propre père ;
Même les grands, de noble lieu saillis,
De leurs sujets se verront assaillis,
Et le devoir d'honneur et révérence

Toute leur vie estoit employée, non par lois, statutz ou reigles, mais selon leur vouloir & franc arbitre. Se levoient du lict quand bon leur sembloit, beuvoient, mangeoient, travailloient, dormoient quand le désir leur venoit. (Livre I, Chapitre LVII.)

Perdra pour lors tout ordre et différence,
Car ils diront que chacun à son tour
Doit aller haut et puis faire retour ;
Et sur ce point sera tant de mêlées,
Tant de discords, venues et allées,
Que nulle histoire, où sont les grands merveilles,
N'a fait récit d'émotions pareilles.
Lors se verra maint homme de valeur,
Par l'aiguillon de jeunesse et chaleur
Et croire trop ce fervent appétit,
Mourir en fleur et vivre bien petit.
Et ne pourra nul laisser cet ouvrage,
Si une fois il y met le courage,
Qu'il n'ait empli par noises et débats
Le ciel de bruit et la terre de pas.
Alors auront non moindre autorité
Hommes sans foi que gens de vérité ;
Car tous suivront la créance et l'étude
De l'ignorante et sotte multitude,
Dont le plus lourd sera reçu pour juge.
O dommageable et pénible déluge !
Délige, dis-je, et à bonne raison,
Car ce travail ne perdra sa saison
Ni n'en sera délivré la terre
Jusques à tant qu'il en sorte à grand erre
Soudaines eaux dont les plus attrempés
En combattant seront pris et trempés,
Et à bon droit, car leur cœur, adonné
A ce combat, n'aura point pardonné
Même aux troupeaux des innocentes bêtes,
Que de leurs nerfs et boyaux déshonnêtes
Il ne soit fait, non aux Dieux sacrifice,
Mais aux mortels ordinaire service.
Or maintenant je vous laisse penser
Comment le tout se pourra dispenser
Et quel repos en noise si profonde
Aura le corps de la machine ronde.
Les plus heureux, qui plus d'elle tiendront,
Moins de la perdre et gâter s'abstiendront,

Et tâcheront en plus d'une manière
A l'asservir et rendre prisonnière
En tel endroit que la pauvre défaite
N'aura recours qu'à celui qui l'a faite ;
Et, pour le pis de son triste accident
Le clair soleil, sans être en Occident,
Lairra épandre obscurité sur elle
Plus que d'éclipse ou de nuit naturelle,
Dont en un coup perdra sa liberté
Et du haut ciel la faveur et clarté,
Ou pour le moins demeurera déserte ;
Mais elle, avant cette ruine et perte,
Aura longtemps montré sensiblement
Un violent et si grand tremblement,
Que lors Etna ne fut tant agité
Quand sur un fils de Titan fut jeté ;
Et plus soudain ne doit être estimé
Le mouvement que fit Inarimé
Quand Typhée si fort se dépita
Que dans la mer les monts précipita.
Ainsi sera en peu d'heure rangée
En triste état et si souvent changée
Que même ceux qui tenue l'auront
Aux survenants occuper la lairront.
Lors sera près le temps bon et propice
De mettre fin à ce long exercice :
Car grandes eaux dont oyez deviser
Feront chacun à retraite aviser ;
Et toutefois, avant le partement,
On pourra voir en l'air ouvertement
L'âpre chaleur d'une grand'flamme éprise,
Pour mettre à fin les eaux et l'entreprise.
Reste, en après ces accidents parfaits,
Que les élus joyeusement refaits
Soient de tous biens et de manne céleste,
Et, de surcroît, par récompense honnête,
Enrichis soient ; les autres à la fin
Soient dénués. C'est la raison afin
Que ce travail en tel point terminé

Un chacun ait son sort prédestiné.
Tel fut l'accord. Oh ! qu'est à révérer
Tel qui enfin pourra persévérer !

La lecture de ce monument parachevée, Gargantua soupira profondément et dit aux assistants :
« Ce n'est pas de maintenant que les gens retirés pour la croyance évangélique sont persécutés ; mais bienheureux est celui qui ne sera pas scandalisé, et qui

toujours tendra au but en blanc que Dieu, par son cher fils, nous a fixé d'avance, sans être par ses affections charnelles distrait ni diverti ! »

Le moine dit :

« Que pensez-vous, en votre entendement, être désigné et signifié par cette énigme ?

— Quoi ? dit Gargantua : le cours et maintien de la vérité divine.

— Par saint Goderan, dit le moine, telle n'est pas mon idée : le style est de Merlin le Prophète. Donnez-y des allégories et éclaircissements aussi graves que vous voudrez. Pour ma part, je n'y pense autre sens inclus qu'une decription du jeu de paume, sous d'obscures paroles. Les suborneurs de gens sont les faiseurs de parties, qui sont ordinairement amis, et, après les deux services faits, celui qui y était sort du jeu et l'autre y entre. On croit le premier qui dit si la balle est sur ou sous la corde. Les eaux sont les sueurs ; les cordes des raquettes sont faites de boyaux de mouton ou de chèvre ; la machine ronde est la pelote ou la balle. Après le jeu, on se rafraîchit devant un feu clair, et l'on change de chemise, et l'on banquette volontiers, mais plus joyeusement ceux qui ont gagné, et grande chère ! »

GUSTAVE DORE naquit à Strasbourg en 1832. Son père, ingénieur des Ponts et Chaussées, était un homme intelligent qui remarqua et cultiva les précoces talents de son fils.

« Ce gamin de génie fut un homme trop tôt » devait dire Théophile Gautier. Dès l'âge de six ans, en effet, Doré caricaturait avec humour toutes les personnes de son entourage. Doué d'une mémoire phénoménale, il était capable de faire le portrait d'un personnage à peine entrevu.

Parallèlement, Gustave Doré manifestait de remarquables dons pour la musique, pour le violon en particulier.

A quinze ans, alors qu'il passait par Paris et à l'insu de ses parents, Doré alla présenter une série de caricatures au directeur d'un journal humoristique en vogue. Quelque peu interloqué d'abord, ce dernier s'empressa de faire signer au jeune prodige un contrat de trois ans.

En 1854, paraît « Gargantua et Pantagruel » où l'artiste se dégage de l'influence de ses maîtres et surpasse d'emblée toute la production de son temps. C'est le triomphe : à vingt-deux ans, Gustave Doré est au faîte de la gloire.

Cependant, il travaille sans relâche. Il illustre, notamment : « Le Roi des montagnes », œuvre de son ami Edmond About ; « L'Histoire Sainte » et « La Bible ». Avec « La Divine Comédie » et « Don Quichotte », Gustave atteint au sommet de son art et au maximum de sa puissance d'expression.

Il part ensuite à Londres et y ouvre une galerie de tableaux, tandis qu'il travaille pour un éditeur anglais. De retour à Paris, il s'essaye à la sculpture avec un certain succès (alors que la peinture ne lui valut que des déboires).

« Le Roland Furieux » de l'Arioste, sera la dernière œuvre illustrée par Gustave Doré, qui mourut en plein travail, le 23 janvier 1883.

Son œuvre magistrale est unique dans l'histoire de l'illustration et porte au plus haut degré de perfection la force évocatrice du dessin, où tous les sentiments, toutes les émotions s'expriment violemment.

L'imagination de visionnaire de Gustave Doré nous ouvre les portes de l'univers surréaliste et préfigure l'évolution de la caricature moderne.

Achevé d'imprimer sur les presses de **Scorpion**,
à Verviers pour le compte des éditions **Marabout**.
D. mars 1986/0099/38
ISBN 2-501-00784-0